THOMAS ALVA
EDISON

THOMAS ALVA EDISON

ÍNDICE

Realización editorial:
Idea Equipo Editorial, S. L.
Texto:
© A. C. Van der Wal

© Ediciones Rueda J. M., S. A.
Impresión: Mateu Cromo, S. A.
ISBN: 84-87507-56-5
Depósito legal: M-24956-1998
Impreso en España / Printed in Spain

INTRODUCCIÓN

Thomas Alva Edison (1847-1931) es, a todas luces, el modelo del hombre perfecto que se vende en Estados Unidos. Este inventor inagotable, aunque agnóstico declarado, bebió en las tradicionales fuentes del calvinismo y se hizo adicto al trabajo en menos que canta un gallo. Corrían tiempos de guerra civil, revolución industrial, guerra mundial y otros valores metidos en bolsa que no impidieron el establecimiento de la patente de corso del consumo de masas. Edison aplicó con sentido práctico los avances de la ciencia y la técnica a la vida cotidiana. Supo dar salidas comerciales a inventos que parecían destinados a ser simples maravillas de un mundo imposible.

Edison, el sueño americano hecho realidad, encarnó la figura del hombre hecho a sí mismo que pudo tocar el cielo. Corrían tiempos en los que la igualdad de oportunidades era moneda corriente en una sociedad llena de pobres inmigrantes que pretendían hacerse ricos con su propio esfuerzo.

De vendedor de periódicos y golosinas en el tren a los doce años de edad, Edison llegó a mejorar el sistema telegráfico, inventar el fonógrafo, desarrollar la primera lámpara práctica de filamento incandescente, abrir el campo del cinematógrafo con su cámara que incluía el movimiento intermitente de la película y registrar mil noventa y tres patentes de invención.

El mito de la igualdad de oportunidades era algo así como la lámpara maravillosa de Aladino. Un día se acabaría el genio y el ingenio capitalista de la rentabilidad a cualquier precio, la competencia salvaje y la ley del mercado libre camparía a sus anchas limitando las posibilidades reales de los pobres. El mismo Edison inventor y experimentador se convirtió en un empresario multinacional como Dios manda. En los billetes de dólar todavía se puede leer el mensaje verdadero: «Confiamos en Dios». Ni siquiera un agnóstico del peso de Edison hizo ascos a aquella confianza divina.

Al margen de sus inventos, Edison supo levantar un complejo tecnológico único en el mundo. Primero, reunió a un equipo selecto de colaboradores en una granja de Menlo Park donde no faltaba nada: centro de investigación, talleres, fábricas, almacenes, oficinas. Luego se montó en el carro del imperio industrial multinacional y fundó el laboratorio de West Orange. El viejo Edison no paró ni un momento de trabajar. Cuando los alegres años veinte acabaron de golpe y porrazo con la caída de la Bolsa en 1929, la suerte estaba echada. Dos años después, el modelo de hombre americano pasaba a mejor vida.

ENTRE MILÁN
Y PORT HURON

UN CABEZOTA PREGUNTÓN

El día en que nació Thomas Alva Edison en una casita de ladrillo rojo del pueblo de Milán corrían aires de guerra por los diecisiete Estados Unidos que amenazaban con expandirse aún más a costa de México. Las tropas norteamericanas no tardarían en ocupar la misma capital mexicana. Pero la familia Edison andaba lejos de aquel campo de batalla. Allá, en el norte del Estado de Ohio, a orillas de un canal que en menos de cinco kilómetros se comunicaba con el lago Huron, el mercado de maderas y cereales ocupaba toda la atención de un pueblo atado a su puerto.

Aquel 11 de febrero de 1847, Nancy y Samuel Edison tuvieron su séptimo y último hijo al que pusieron los nombres de Thomas, que así se llamaba uno de los hermanos de Samuel, y de Alva, a la memoria del capitán Bradley. Fue todo un acontecimiento para una familia que acababa de perder paulatinamente a tres de sus hijos. Sólo un pequeño detalle pareció empañar tanta felicidad: la cabeza de Thomas Alva era muy grande. Algunos médicos contribuyeron a desatar los temores de la familia alertando sobre la posibilidad de que el niño padeciese una enfermedad cerebral.

Samuel Edison se mostró desencantado. Y no tardó en convencerse de que su hijo sería una pesada cruz. Por si fuera poco, Thomas Alva era extremadamente débil y ello le impidió acudir a la escuela. Su madre se ocupó pacientemente de su educación. Aunque su afán de conocimiento era casi tan grande como su cabeza. Quería saberlo todo y, en consecuencia, se pasaba el día preguntando cosas. Los porqués martilleaban la cabeza de un Samuel que no hacía nada por aclarar las dudas de aquel niño preguntón. Criado al modo de la vieja escuela de «la letra con sangre entra», no dudaba en responderle con castigos corporales a la menor ocasión.

«Mi padre opinaba que yo era un estúpido y muchas veces sentía deseos de darle la razón haciendo cosas estúpidas», confesó Thomas Alva. Por aquella época de su infancia, no contaba con amigos y se pasaba el tiempo intentando descubrir por sí mismo todos los porqués de su pequeño mundo.

Una vez vio salir a unos patitos del cascarón de un huevo en donde se había sentado una pata y se quedó maravillado. Ni corto ni perezoso, buscó un rincón tranquilo, se llevó unos huevos de pata y de gallina, hizo un nido y procedió él mismo a incubarlos. Así estuvo durante largas horas hasta que su padre lo encontró en el corral de unos vecinos. El pequeño Thomas Alva aprendía de memoria las canciones de los trabajadores del canal y de los aserraderos. También solía copiar en un papel los letreros de las tiendas.

«A mis cinco años vivía en Milán y mi padre era el más importante maderero de la ciudad. Cierto día me dirigí a un riachuelo de las afueras en compañía de un amigo para nadar en un remanso. De pronto, mi compañero desapareció bajo las aguas y yo me quedé esperándole durante mucho tiempo. Pero no volvió a salir. Al oscurecer, regresé a casa y no dije nada a mi familia. Por la noche, me despertaron y me hicieron preguntas sobre el otro chiquillo. Al parecer, habían estado buscándole sin éxito y finalmente descubrieron que había salido conmigo. Les conté lo

que sabía y luego supe que sacaron del agua el cuerpo
sin vida de mi pobre amigo».

Sin duda, el miedo a su padre le llevó a refugiarse en el silencio. Y no era para menos.

Thomas Alva había provocado con frecuencia la ira de su padre. Cuando tenía seis años de edad, ocurrió un hecho que nunca pudo olvidar. Andaba jugando en el granero y se le ocurrió encender un montoncito de paja. En un abrir y cerrar de ojos, las llamas lo envolvieron todo. Por fortuna, logró ponerse a salvo y el incendio se sofocó con rapidez. Pero su padre le tenía reservado un castigo ejemplar. Reunió a los vecinos en la plaza pública y ante sus ojos azotó salvajemente a Thomas Alva.

RAÍCES

En aquel lugar donde en 1804 unos misioneros de Moravia habían fundado un pueblecito indio llamado Pequotting, la historia se hacía día a día. En 1816, ya estaba habitado por unos colonos de Conecticut y un tal Ebenezer Merry decidió por su cuenta y riesgo borrar el nombre indio del mapa y poner Milán en su lugar como homenaje particular a la ciudad milanesa del norte de Italia. Thomas Alva, a falta de escuela, aprendía también día tras día, sobre la marcha, acumulando una experiencia tras otra.

Por la década de 1840 en que nació Thomas Alva, la tecnología americana había alcanzado un buen nivel de desarrollo. Los observadores europeos se quedaron pasmados ante su pujanza. Sólo en las industrias donde se precisaba más un conocimiento avanzado de la química que de la mecánica práctica, los americanos iban por detrás de los británicos. La maquinaria en el sector textil, en la fabricación de armas y herramientas y en el trabajo de la madera ahorraba mano de obra. Lo mismo ocurrió en las explotaciones agrícolas del Oeste con la introducción de las máquinas segadoras. En un país tan nuevo, los empresarios reducían los costes de capital fabricando máquinas, vapores y ferrocarriles de modo endeble, pensando que los más sólidos pronto quedarían anticuados. Ser empresario: no había otra actividad que ofreciera tantas oportunidades de poder, creatividad y lucro.

En aquel mundo lleno de pragmatismo, materialista y creador de riqueza, Thomas Alva también veía pasar las carretas tiradas por bueyes y cubiertas de una lona en forma de arco. Se le ponían los ojos como platos. Al grito de «vamos al oeste», largas caravanas de hombres, mujeres y niños desfilaban diariamente frente a la puerta de su casa. Se había descubierto oro en California y la gente andaba enloquecida sólo de pensar en la posibilidad, por muy lejana que fuera, de hacerse rica en un santiamén.

> «Contando yo cinco años, mis padres me llevaron a visitar Vienna. Desde Milán, Ohio, nos trasladamos en carruaje hasta el ferrocarril y en un puerto del lago Erie embarcamos y navegamos hasta Port Burwell, en el Canadá. De allí pasamos a Vienna. Nunca olvidaré a mi abuelo, tal como lo vi entonces, que ya tenía ciento dos años de edad. Al mediodía se sentaba bajo un árbol grande, situado delante de la casa, y contemplaba el ir y venir de las gentes en el camino, saludando a unos y otros, sin dejar de mascar tabaco, bajo el matorral de cabellos blancos que cubría su cabeza. Valiéndose de un largo bastón, se movía del sillón a la casa y viceversa, sin consentir ayuda alguna. Me infundía tanto respeto que no osaba acercarme a él. Me contentaba con mirarle desde una distancia prudencial. También vi en aquella casa unas pipas muy largas, un jarro de melaza, un baúl y otros objetos procedentes de Holanda».

Así fue como Thomas Alva empezó a descubrir los orígenes de una familia emigrante que había tocado suelo americano por primera vez allá por el siglo XVIII. Los primeros Edison desembarcaron en Elizabethport, Nueva Jersey, y pronto se establecieron cerca de Caldwell. Como buenos terratenientes, la mayoría de los miembros de la familia demostró lealtad a la Corona británica cuando los partidarios de la independencia se levantaron contra el poder colonial. En 1777,

John Edison y su cuñado Isaac Ogden fueron condenados a muerte por un tribunal de las milicias rebeldes. Aunque otro pariente que había abrazado la causa independentista intercedió por ellos y quedaron libres.

La firma de Thomas Edison, un notable empleado del Banco oficial de Manhattan, llegó a figurar en los billetes de 1778. Pero en 1783, unos treinta y cinco mil monárquicos se vieron obligados a embarcarse en dirección a las Indias Occidentales y Canadá.

Los Edison se instalaron en las tierras canadienses de Nueva Escocia cortando árboles, completando la faena en los aserradores, haciendo campos de cultivo y construyendo casas para albergar a una familia cada vez más numerosa. Un día primaveral de 1811 decidieron cambiar de aires y se instalaron en la región de Ontario. Un año después, estalló la guerra con Estados Unidos y vuelta a empezar. Aunque el triunfo británico-canadiense les dio un respiro.

Vienna tenía una iglesia bautista, una escuela, una sola calle principal, una taberna y un cementerio. Esa Vienna de Canadá hubiera podido llamarse Edison sin ningún problema. En realidad, fue la familia Edison quien dio luz al pueblo. Y el venerable capitán Samuel Edison, que iba a ser abuelo de Thomas Alva, se sentía como Pedro por su casa: a los sesenta años se quedó viudo y con ocho hijos mayorcitos y poco después, en 1825, volvió a casarse y tuvo seis hijos más.

Uno de sus hijos, Samuel, se casó en 1828 con Nancy, una maestra de escuela cuyo padre era pastor bautista. Pero este Samuel no comulgaba con las ideas monárquicas de su padre. Y convirtió la taberna del pueblo en cuartel general de los rebeldes al poder colonial.

En 1837, William Lyon Mackenzie, que dirigía la insurrección armada contra los británicos, fue derrotado en Toronto. A Samuel no le quedó más remedio que huir a toda prisa. Antes, se dirigió a Vienna para despedirse de su esposa y sus cuatro hijos y pasó la noche en un granero. Tuvo mucha suerte: los soldados regulares sólo registraron la casa del viejo capitán monárquico a la búsqueda del hijo rebelde. Al día siguiente, se internó en el bosque para ganar el territorio de Estados Unidos. Y anduvo durante sesenta horas hasta que llegó a Port Huron, Michigan, sano y salvo.

13

Poco a poco, Samuel empezó a ganarse la vida en Milán. Su familia no tardó mucho tiempo en dejar Canadá y reunirse con él.

EL FERROCARRIL

En 1853, llegó el ferrocarril a aquella región del Medio Oeste. Pero el pueblo de Milán no quiso saber nada del nuevo medio de transporte. Todos creían a pies puntillas que su bendito canal de Huron era suficiente para asegurar el comercio y la prosperidad. Fue un error irreparable. El ferrocarril no pasó por Milán, sino por Norwalk. Y los granjeros y madereros dejaron de apostar por la ruta del canal. Samuel Edison lo vio claro: habían perdido y sólo cabía venderlo todo e irse con la música a otra parte.

Por regla general, el trazado de las vías férreas se superponía al de los canales. Aunque era difícil establecer la superioridad de uno de los dos. Sus ventajas relativas variaban con su trazado, longitud, estación del año y productos transportados. Era totalmente imposible limitarse a comparar los fletes de carga porque si bien las tarifas de las compañías ferroviarias eran frecuentemente iguales a las de los canales en aquellas rutas donde competían, los beneficios de las primeras eran muy grandes allí donde ejercían un monopolio.

Las mejoras introducidas a principios del siglo XIX en el transporte facilitaron el desplazamiento de algodón, cereales, productos manufacturados y emigrantes. Pero, a menudo, eran el resultado y no la causa del creciente comercio. La colonización del Medio Oeste iba por delante de los transportes. Los ferrocarriles se construyeron para satisfacer una demanda ya existente y simbolizaron el desarrollo americano durante un cierto tiempo.

La familia Edison fijó su residencia en Port Huron, Michigan. Corría 1853. A Samuel, aquel pueblo de casi cuatro mil habitantes le traía buenos recuerdos. ¿No había sido allá donde en 1837 llegó huyendo desde Canadá tras una azarosa aventura en solitario por los bosques? Así era. Y el viejo rebelde también era un viejo zorro que sabía lo que se estaba cociendo en el lugar: el ferrocarril iba a llegar muy pronto. Un comerciante de granos y maderas tan avispado como Samuel no iba a tropezar dos veces en la misma piedra. Milán le sirvió de mucho. El futuro estaba claro.

Para el pequeño Alva, que así empezaron a llamarle, las cosas no pintaban nada bien. Tuvo la escarlatina y se quedó sin ir a la escuela. Su padre Samuel seguía en sus trece: el niño era idiota de nacimiento y el palo y tente tieso constituía la única medicina para contrarrestar sus actos estúpidos. Al menos, los negocios no marchaban del todo mal. Incluso llegó a construir una torre de madera de treinta metros de altura para que los viajeros del ferrocarril pudieran contemplar, previo pago de veinticinco centavos, una vista excepcional del lago Huron. Una torre que hizo las delicias de Alva, que no perdía ocasión de subir y bajar por la escalera de caracol. Acaso una estupidez más, según Samuel.

LA LETRA CON SANGRE ENTRA

En el otoño de 1855, Alva empezó a asistir a las clases del reverendo Engle y su esposa. Enseguida pudo comprobar que la receta de su padre también se aplicaba en la escuela. «La letra con sangre entra» estaba a la orden del día escolar. «No hice ningún progreso y siempre ocupaba el último puesto de la clase. Los maestros no me tenían simpatía y mi padre pensaba que estaba malgastando su dinero».

Un día, el reverendo Engle agarró a Alva por el pescuezo y le espetó con ira que tenía la cabeza hueca. El pequeño se marchó llorando a su casa. Al enterarse Nancy, tomó a su hijo de la mano y juntos fueron a la escuela. Ante el iracundo maestro, proclamó en tono solemne: «Mi hijo no volverá más a una escuela donde el propio maestro no sabe lo que se dice. Algún día, ya se convencerá usted de que mi hijo tiene mil veces más talento que usted». Alva, orgulloso y agradecido, se dijo que sería digno de ella.

Treinta años después, en agosto de 1885, el reverendo Engle no tendría reparos en escribir una carta a Thomas Alva Edison en la que decía: «No habrá olvidado seguramente que hace años, en Port Huron, recibió clases en la escuela que dirigíamos mi esposa y yo. Cuando su padre tuvo dificultades para liquidar la cuenta mensual, yo no se la exigí. En la actualidad, tengo setenta y siete años y pertenezco al grupo de clérigos jubilados. Enterado de que sus ingresos son considerables, me tomo la libertad de pedirle una pequeña ayuda en concepto de préstamo». Y Edison le envió veinticinco dólares.

A LA SOMBRA DE NANCY

Nancy se tomó muy a pecho la educación de su hijo. Y no le faltaba talento: ya en sus días de chica soltera había ejercido de profesora en la escuela de Vienna. Además, creía firmemente en las posibilidades de Alva. Al contrario que su marido, estimaba que la causa del aparente poco progreso de Alva en los estudios se debía a un método de enseñanza inadecuado. Así de simple: Alva necesitaba comprender las cosas antes de aprenderlas de memoria. El pequeño asentía: «Tener las cosas a la vista y experimentar con ellas es más eficaz que estudiarlas y tratar de aprenderlas sin saber nada de ellas».

A los doce años, Alva ya tenía en su haber de lector empedernido una importante lista de libros: la *Decadencia y Caída del Imperio Romano* de Gibbon, la *Historia de Inglaterra* de Hume, la *Historia Universal* de Sears, la *Anatomía de la Melancolía* de Burton, y el *Diccionario de las Ciencias*... Aunque leer los *Principia* de Isaac Newton fue una empresa demasiado grande. Nancy también le procuró libros más amenos de Dickens, Shakespeare y otros autores de literatura fantástica. Aquella maestra empleó un sistema pedagógico moderno para que su único alumno tuviera completa libertad y siguiera sus propios impulsos.

El día en que Nancy compró un libro con muchas ilustraciones titulado *Escuela de Filosofía Natural*, donde se explicaba la forma de hacer experimentos caseros, un nuevo mundo pareció abrirse para Alva. De repente, se despertó su afición por la química experimental.

El sótano de la casa de Port Huron se llenó de frascos cuyo contenido no dejaba lugar a dudas. Cada uno llevaba una etiqueta con el mismo nombre: veneno. Así, Alva se curaba en salud. Una manera de prevenir que alguien tocara sus mezclas de supremo alquimista.

Un día quiso gastar una broma de sabio y decidió elegir a su amigo Michel Oates como víctima propiciatoria. A bocajarro, le preguntó si le gustaría volar. «No sé, no tengo alas», fue la respuesta. Sin perder la compostura, Alva dijo: «¿Quién habla de alas? ¿Has oído hablar de de los globos aerostáticos? Sí, hombre, son muy grandes, no tienen alas y vuelan». Del dicho al hecho. El pobre Michel se dejó convencer de que con la ingestión de los polvos mágicos fabricados por su amigo sabio iba a convertirse en un globo volador. No tardó mucho en comprobar el resultado del experimento. En vez de elevarse a los cielos, se cayó al suelo revolcándose de dolor.

«Mi madre compartía todas mis ideas, excepto cuando le ensuciaba la casa», decía Alva. Su padre era otra historia. Y refunfuñaba: «Cualquier día volamos todos». Nancy ponía las cosas en su lugar: «Así

El grabado, fechado en el año 1889, representa a un Edison todavía joven probando uno de sus inventos, el fonógrafo, que permitía grabar algunos sonidos y también reproducirlos. (Foto: Zardoya)

se entretiene y aprende. Sam, ¿cuándo te vas a enterar de que es un chico distinto a los demás?» No era un estúpido, no, aquel pequeño sabio de andar por casa. Nancy tuvo ocasión de ver cumplida su confianza en él una noche en que se sintió mal y, ante la ausencia de su esposo, mandó que Alva fuera a buscar al médico. Era algo grave, una pertitonitis, y el médico se vio obligado a proceder a una intervención quirúrgica de urgencia en la propia casa. Pero no contaba con la falta de luz: un quinqué de petróleo era insuficiente. Alva arregló el problema. Recogió todos los quinqués disponibles y los encendió frente a un espejo enorme del armario del comedor: así pudo ser operada su madre y salvar la vida.

PERIODISTA TOTAL

UN VENDEDOR CON CHISPA

El ferrocarril llegó a Port Huron en 1859. Era la línea del Grand Trunk que iba a Detroit, la capital del Estado de Michigan. Y Alva observaba la marcha de aquella caravana de hierro con los mismos ojos como platos de su infancia que no perdían de vista la caravana de los buscadores de oro californiano. Eran tiempos en que los hilos del telégrafo, cuyo inventor F. B. Morse lo había exhibido por primera vez en 1838 en Nueva York, no cesaban de extenderse por un inmenso territorio que cada vez se agrandaba más.

Alva soñaba con ser telegrafista. A los once años ya se fabricó su propio aparato telegráfico y practicaba el sistema Morse como si fuera un profesional. Cautivado por la electricidad, no paraba de preguntar a todo el mundo qué diablos era. Nadie supo responderle adecuadamente. Sólo un escocés, que era jefe de estación en Port Huron, fue capaz de iluminarle con unas palabras ejemplares:

«Mira, chico, figúrate un perro muy largo, cuyo rabo
esté en Escocia y la cabeza en Londres. Pues bien,
cuando le tiras del rabo en Edimburgo, el perro ladra

en Londres. Esto es, ni más ni menos, la
electricidad».

La realización de los sueños costaba cara y Alva se dio cuenta de que
sus experimentos no podían seguir haciéndose sin contar con un trabajo
que le reportase dinero. Cierto que él y su amigo Michel Oates
cultivaban un pequeño huerto y cada mañana llevaban al mercado un
carro lleno de hortalizas. Pero no era suficiente. El Grand Trunk,
Toronto-Port Huron-Detroit, fue su salvación. A los doce años obtuvo
un permiso oficial para vender periódicos en los ferrocarriles de la línea
del Grand Trunk. Aunque primero debió convencer a su madre para que
le dejara trabajar. Tuvo que emplear sus mejores argumentos. Y Nancy
accedió.

«Al cabo de varios meses de dedicarme a esta labor,
abrí dos tiendas en Port Huron, una de periódicos y
la otra de hortalizas, mantequilla y diversas bayas.
Cada una de ellas estaba atendida por un
dependiente, que recibía parte de los beneficios. Más
tarde, tuve que cerrar la tienda de periódicos, pues
mi empleado me engañaba. Sin embargo, la de
hortalizas funcionó bien durante un año. Después se
organizó un expreso que salía de Detroit por la
mañana y regresaba por la noche y obtuve el permiso
para colocar un vendedor de periódicos en ese tren».

El pequeño Alva era más listo que el hambre. Y estudió a conciencia
todo lo relacionado con el ferrocarril. Pronto descubrió que uno de los
vagones se dividía en dos departamemntos: uno para el equipaje y el otro
para el correo. A primera vista, nada especial. Pero allá vio un espacio
libre donde podía cargar dos cestos de verdura procedentes del mercado
de Detroit. Así lo hizo. Y en la estación de Port Huron los recogía un
empleado suyo para llevarlos a la tienda. Eran verduras de gran calidad y
se vendían en un abrir y cerrar de ojos.

«Estaba satisfecho con mis ganancias. Y jamás me
cobraron los portes. Supongo que se debía a que yo
era demasiado pequeño y demasiado trabajador para

mi edad. Aunque también les debía impresionar mi
osadía al utilizar un coche correo del Estado para
transportar verduras».

Pero Alva seguía tentando a la suerte. Y empezó a comprar
mantequilla y moras a los granjeros que encontraba en la línea del Grand
Trunk. Lo hacía al por mayor y a precios ridículos. Un poco más tarde, se
se puso en circulación el tren de los inmigrantes: de siete a diez vagones
repletos de noruegos contratados para trabajar en Iowa y Minnesota. Y
ahí colocó a otro empleado que vendía pan, tabaco y azúcar.

AL ASALTO DEL TREN

La guerra civil entre los Estados del Norte y del Sur hizo que Alva
abandonara su negocio de hortalizas y se dedicara en cuerpo y alma a la
venta de periódicos. A las siete de la mañana salía de Port Huron y a las
diez llegaba a Detroit. La vuelta era a las seis y media de la tarde: un largo
tiempo de espera que aprovechaba para ir a la Biblioteca pública y leer
libros. Era el socio número treinta y tres y pagó dos dólares por la tarjeta
de acreditación. Incluso en el vagón de equipajes del tren montó un
pequeño laboratorio donde no dejaba de experimentar entre el vaivén
del viaje.

Con el tiempo, el laboratorio ambulante de Alva se enriqueció de
forma muy notable con la instalación de una oficina periodística. Pronto
se dio cuenta de que los periódicos se vendían mejor cuando salían
noticias de la guerra civil. Y pasó rápidamente a la acción directa.
Compró una pequeña prensa y varios tipos de imprenta y los puso en el
vagón del laboratorio. Y de este modo, un día nació el primer periódico
editado íntegramente en un tren en marcha. Y no sólo eso: aquel cajista,
impresor, redactor y editor también era vendedor. En el *Weekly Herald*,
que así se llamaba aquella perla de papel, se podían leer noticias locales,
pero también avisos de la compañía ferroviaria y reportajes de la guerra
civil, recibidos por telégrafo, que además salían antes que en los demás
periódicos de la competencia. Costaba tres centavos por ejemplar y ocho
centavos una suscripción mensual. La tirada inicial fue de cuatrocientos
ejemplares.

En abril de 1862, vio con extrañeza que una multitud de hombres se agolpaba frente a las pizarras de los periódicos en Detroit. La noticia era estremecedora. En el llamado desembarco de Pittsburgh o simplemente la batalla de Shiloh se decía que habían muerto más de sesenta mil soldados. «Yo sabía que si aquella batalla era seguida con tanto interés en todas las estaciones de la línea y en Port Huron, la venta de periódicos sería enorme», pensaba Alva. Y se puso manos a la obra. Telegrafiaba a los agentes de las estaciones y les pedía que escribieran en una pizarrra la noticia más importante de la guerra. Así, al llegar a la estación ya le estaba esperando una nube de impacientes compradores.

> «Para eso fuí a ver al telegrafista de la estación y le
> prometí darle gratis los periódicos durante tres meses
> si consentía en transmitir a todas las estaciones las
> noticias más sensacionales. Yo las extractaba a toda
> prisa y él las comunicaba a los agentes de telégrafos,
> que las escribían sobre las pizarras donde se registran
> la llegada y la salida de los trenes»

El éxito superó a la propia empresa. Y Alva comprobó con estupor que le faltaba dinero para sacar más ejemplares. Sin cortarse ni un pelo, se dirigió a las oficinas del periódico más prestigioso de Detroit, el *Free Press,* y preguntó por el editor. Su idea parecía descabellada: solicitar un crédito para ampliar la tirada de su periódico a mil ejemplares.

Pero el pequeño Alva se salió con la suya. Al final, pudo entrevistarse con dos señores hechos y derechos que se quedaron mudos de estupor ante el desparpajo de aquel renacuajo. Uno de ellos se negó en redondo a concederle el crédito. El otro, cuya opinión debía pesar mucho, intercedió en su favor y el quinceañero Alva se encontró con dinero en el bolsillo para emprender su etapa de expansión. Luego supo que su protector era Wilbur F. Storey, un periodista de prestigio que iba a fundar el *Chicago Times.*

> «Con la ayuda de otro muchacho llevé los periódicos
> al tren y allí comencé a doblarlos. La primera
> estación era Utica, un pueblecito donde solía vender
> dos ejemplares. Pero aquel día me ví rodeado por una

multitud de ansiosos lectores de mi periódico.
Entonces comprendí que el telégrafo era un invento
maravilloso. En un momento, me arrebataron de las
manos unos treinta y cinco ejemplares. Con vistas a
la siguiente estación, Mount Clemens, donde vendía
de seis a ocho ejemplares, pensé que si me
encontraba con tanta gente sería una lástima no
disponer de más periódicos. Así que decidí aumentar
el precio: de cinco a diez centavos. En efecto,
también me esperaba muchísima gente y nadie
protestó por el nuevo precio. En el resto de
estaciones sucedió lo mismo».

Al acercarse a Port Huron, Alva no dejó de hacer lo de costumbre:
saltar del tren en marcha sobre un montículo de arena. Allá le esperaba
su amigo holandés con un caballo y juntos hicieron el resto del camino.
Pero aquel día ocurrió un hecho insólito. Una multitud, parecida a la que
había tenido en cada estación, iba hacia ellos y Alva adivinó sus
intenciones. «Señores, hoy el periódico cuesta veinticinco centavos y
sólo me quedan muy pocos ejemplares», voceó en un último alarde de
vendedor triunfante. ¡Vaya jornada inolvidable! «Gané una cantidad de
dinero que me pareció fabulosa», confesó Alva.

UN DIABLILLO

Alva apenas sabía administrar sus ganancias. Enseguida se quedaba sin
un centavo. Aparte de lo que daba a su familia, solía gastar el resto del
dinero en libros y productos químicos para el laboratorio que tenía
montado en el vagón de equipajes del tren. Una vez fue a un pequeño
taller de Detroit donde trabajaba George Pullman, el creador del famoso
coche-cama que lleva su nombre, y le encargó unos artilugios de madera
para sus experimentos. Aquel periodista total seguía manteniendo su
pasión por la química.

Acumular dinero no entraba en la cabeza de Alva. Su fascinación
por el conocimiento de las cosas era lo más valioso. A veces, se pasaba
horas enteras viendo el funcionamiento de las máquinas de vapor en Port
Huron. Cuando su trabajo de periodista y científico se lo permitía,

acompañaba al conductor del tren en el viaje y tomaba los mandos. Un día tuvo que apechugar con las dificultades del camino y salió airoso por sí solo. Aunque pasó un mal rato. En realidad, lo vio todo muy negro.

«A las quince millas de recorrido, al maquinista se le empezaron a cerrar los ojos. Tomé la dirección de la máquina y reduje la velocidad a doce millas. Así llegué al empalme del Grand Trunk. Yo iba muy preocupado por el agua. Si descendía su nivel, la caldera estallaría. Al rato, de la chimenea brotó una nube como de fango negro y lo cubrió todo. Pensé despertar al maquinista. Pero pronto volvió la normalidad».

«Al llegar a una estación donde el fogonero abría la copa del engrasador para depositar en ella una buena cantidad de aceite, yo me encargué de realizar aquella misma operación. De golpe, salió otro chorro de vapor y se oyó un ruido infernal. Casi me caigo del susto. Cerré la copa del engrasador y regresé a la cabina de conducción dispuesto a poner en marcha la máquina sin aceite. Entonces ignoraba que, al ir a echar aceite, el fogonero cerraba previamente el paso del vapor. Poco después, volví a sufrir el paso de otra nube negrísima. La máquina tenía tanta agua que su nivel llegaba a la chimenea y el líquido lavó todo el hollín».

Al llegar a su destino, la gente recibió al maquinista Alva, hecho una pena, con una sonora carcajada.

La jornada laboral de Alva terminaba a las nueve y media de la noche. A esa hora acababa de vender los periódicos en Port Huron y tomaba el camino de su casa. Era un paseo largo a través de un bosque frondoso y oscuro. Al principio, pasó mucho miedo. Y el más ligero roce de una hoja le ponía los pelos de punta. A veces, cerraba los ojos y corría como alma que lleva el diablo por los lugares que consideraba peligrosos. Al pasar por una tumba en la que yacían los cuerpos de trescientos soldados muertos a causa de una epidemia de cólera, no podía dejar de sentir un tremendo escalofrío. Con el tiempo, se acostumbró a andar con toda tranquilidad. Incluso se llegó a creer el mismísimo Sam Houston, el fundador de Texas, del que había oído decir que no sabía lo que era el miedo.

A eso de las once de la noche, Alva llegaba sano y salvo a su casa. Fortalecido por el recuerdo de Sam Houston, era capaz de enfrentarse con todos los fantasmas del Estado y darles su merecido. Era un decir, claro. Aunque siempre tenía bien presente a su héroe texano. Y recordaba que Houston tuvo que lidiar una vez en plena calle con un fantasma, que era un amigo suyo embutido en una sábana, y le espetó serenamente: «Si eres un hombre, no me das miedo. En caso de ser un fantasma, no necesitas asustarme. Pero si eres el diablo, acompáñame a casa pues estoy casado con tu hermana». Alva no llegaba a tanto. Pero era un diablillo de armas tomar.

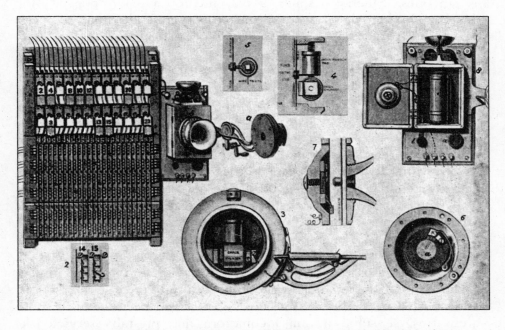

Las piezas del teléfono inventado por Edison en un grabado de la época. Están representados el cuadro de conmutadores (con un pequeño detalle), el receptor y el transmisor, por secciones y también abierto (arriba).

NOCHE Y DÍA

Durante la guerra civil, Alva se multiplicaba en su trabajo periodístico. Pero aún tenía tiempo para gastar bromas. No lejos de su casa, había un regimiento de soldados acuartelado en Fort Gratiot. Por las noches se oía el grito ritual: «¡Cabo de guardia número uno!». Y todos los centinelas lo repetían hasta que se enteraba el interesado. Alva y su amigo holandés decidieron tomar parte en aquel juego. Uno de ellos soltó el grito de turno a una hora que no era la correcta y burlaron a los centinelas y al pobre cabo. A la noche siguiente, volvieron a hacer lo mismo. Y los soldados picaron de nuevo.

Pero Alva y su amigo apuraron demasiado su suerte. Y a la tercera fue la vencida. Los soldados los estaban esperando y cayeron por sorpresa sobre aquel par de graciosos. Alva pudo huir a toda prisa, entró en el sótano de su casa, vació un barril lleno de patatas podridas y se puso dentro. Los soldados despertaron a su padre y registraron sin éxito todos los rincones. Mucho después, Alva, medio mareado por el olor nauseabundo, salió de su escondrijo. No tuvo tiempo de cantar victoria: su padre le esperaba para propinarle una soberana paliza.

Por fortuna, también hubo otros momentos más felices en la vida de la familia Edison. En una ocasión, de la posible tragedia se pasó a la alegría infinita por obra y gracia del pequeño Alva.

Un día, después de haber vendido sus periódicos en la estación de Port Huron, decidió esperar a su hermana que venía en el tren de Detroit. Miró el reloj: faltaba menos de una hora para que llegara. En aquel mismo momento apareció un vecino del pueblo con la cara blanca como la cera. Saltó de su caballo y balbuceó unas palabras que nadie entendió. Ya más calmado, consiguió balbucear que el puente del ferrocarril, a diez kilómetros del lugar donde se encontraban se había venido abajo por la crecida del río. Todos olieron la catástrofe. El telegrafista se puso de inmediato en comunicación con la estación más próxima con la intención de avisar al maquinista. Pero el tren ya había partido. Alva no perdió los nervios. Con el jefe de estación y otros voluntarios, se subió a una locomotora que prestaba servicio de mercaderías en una misión casi imposible: llegar al puente antes de que lo hiciera el otro tren. Alva tenía una idea: con un silbato de vapor fue transmitiendo en sistema Morse el mensaje: «Marion. Peligro. Puente roto». Y lo repitió sin interrupción durante los diez kilómetros de recorrido.

Antes de que se consumara la tragedia, Marion, que había practicado el Morse con su hermano en el sótano de su casa, oyó las palabras y el tren se paró justo a tiempo. El pueblo recibió con entusiasmo a su pequeño héroe. Y el padre de la criatura tuvo que bajarse del burro y aceptar, aunque sólo fuera por un día, que tenía un hijo listísimo.

ADIÓS AL PERIODISMO

En su laboratorio y sala de prensa, Alva se sentía seguro y feliz. Un día se rompió el encanto. El tren frenó bruscamente y todo se vino literalmente abajo. La mala fortuna quiso que se rompiera un frasco de fósforo encendiéndose el vagón. El conductor del tren, un escocés, pudo llegar a tiempo y apagó el fuego. Pero en la siguiente estación, en Mount Clemens, el escocés arrojó al andén los productos químicos, los frascos, las cubetas, la imprenta, los tipos de letra, todo, absolutamente todo. Alva se vio desposeído en un santiamén de su múltiple personalidad. Ya no era nada, sino un pobre muchacho lloroso sin empleo.

Al parecer, el escocés le despidió en el andén sin contemplaciones. Ni siquiera se salvó de recibir unas sonoras bofetadas que, a la postre, provocaron su sordera. Pero Alva vio otra película: «Mi tren estaba detenido en la estación de Simth's y yo llegué cargado de periódicos que sujetaba difícilmente con ambos brazos. Intenté subir al vagón de carga. Un empleado del ferrocarril, al darse cuenta de que no conseguía mi propósito, se acercó, me cogió por las orejas y me subió en volandas. Sentí que algo se rompía en el interior de mi cabeza. Y así fue el comienzo de mi sordera».

Alva se sobrepuso a la adversidad, recogió todos los objetos de su laboratorio y sala de prensa y se los llevó a su casa. Nancy se quedó de piedra. «¿Otra vez has hecho de las tuyas?», le preguntó. «Una casa no se mueve y no puede arrojar las cosas al suelo para que se inflamen», contestó con toda franqueza y lógica. Era una invitación a volver a ocupar el sótano perdido de sus primeros años de aprendiz de sabio. Nancy aceptó a cambio de que no manipulara sustancias explosivas.

El *Weekly Herald* siguió editándose sin problemas desde su nuevo cuartel general. Hasta que un día, un aprendiz de impresor que trabajaba en un periódico local le aconsejó a Alva que debía renovar su imagen. Y le hizo caso. El *Paul Pry* o *Pablo Chismoso* sustituyó al *Weekly Herald* y se hizo eco de los rumores, cuentos y chismes que corrían por los pueblos.

Aquel cambio en la línea periodística originó algún que otro problema. A un vecino le sentó fatal haber salido en el *Paul Pry* y prometió vengarse. En una ocasión, vio que Alva daba un paseo por los muelles de Port Huron. Con sigilo, se acercó a él y sin mediar palabra lo arrojó al agua. Menos mal que era un buen nadador. Todo acabó en un simple chapuzón. Pero se le acabaron las ganas de seguir ejerciendo el periodismo.

EL TELEGRAFISTA

APRENDIZ DE PUNTOS Y RAYAS

Una mañana de agosto de 1862, un vagón de mercancías empujado desde una vía muerta avanzaba a toda velocidad hacia la vía principal en la estación de Mount Clemens. Alva andaba ocupado con sus periódicos a la espera de que saliera su tren. De forma rutinaria, levantó la vista y vio que el hijo del jefe de la estación estaba jugando en medio de la vía principal sin percatarse de que el vagón se le echaba encima. No se lo pensó dos veces. Dejó lo que estaba haciendo y salió disparado en dirección al niño. Justo a tiempo. Pudo cogerlo entre sus brazos y lo salvó por los pelos de una muerte segura. Todo se saldó con unos rasguños de nada y un buen susto.

Aquella acción valerosa de Alva tuvo una gran influencia en su futuro. El padre del niño, James U. Mackenzie, se sentía en deuda con él y le preguntó qué podía hacer para satisfacerle. "Quiero ser telegrafista", dijo Alva. Así, con la ayuda inestimable de Mackenzie, profundizó en el estudio y la práctica de las señales especiales y las abreviaciones que se utilizaban en el ferrocarril. Aunque, a su manera, ya había hecho sus pinitos con el código Morse. Una vez, tendió una línea telegráfica entre su casa y la de un amigo empleando alambre ordinario y botellas fijadas con clavos en los árboles a modo de aisladores. Rodeó de trapos el hilo del electroimán con el fin de aislarlo y usó muelles de latón como transmisor. Fueron sus primeros pasos en el mundo de la telegrafía. Luego vino una vaca y se llevó de una sola embestida toda la instalación artesanal.

Alva se tomó muy en serio su aprendizaje. Durante tres meses y pico estudió intensamente. De diez a dieciocho horas al día: una barbaridad. Pero estaba encantado. Por su cuenta, instaló una línea telegráfica entre la estación de Port Huron y el pueblo, situado a un kilómetro de distancia. Un día fue nombrado oficialmente telegrafista del puesto de Port Huron. La oficina se encontraba en una tienda de joyería donde, además, se vendían periódicos.

Era tan grande su pasión por el trabajo que apenas salía a la calle. A veces, se quedaba a dormir allí mismo. Las noticias de prensa se recibían hasta las tres de la mañana. Para tener práctica, Alva copiaba todas las informaciones. La ambición de todo telegrafista rural era una sola: tomar las noticias de prensa sin escapársele ni una.

Por aquella época tenía dieciséis años y su fama de experimentador por encima de todo seguía intacta. Así lo corroboró el señor Walker:

«Era un muchacho que siempre estaba encima de algún libro científico y se quedaba tan embebido en él que, con frecuencia, descuidaba su trabajo de telegrafista. La verdad es que ese trabajo no le ocupaba demasiado tiempo. Los despachos correspondientes a un mes apenas sumaban cincuenta o setenta dólares. Sin embargo, el muchacho andaba distraído con alguno de sus experimentos y los despachos esperaban su turno de ser cursados. Yo le veía estudiar el *Scientific American* y al momento desaparecía en busca de alguna sustancia química. Allá mismo se ponía a probar la veracidad de lo que decía el libro. Al concluir el experimento, parecía olvidarlo por completo y los alambres, los frascos y demás material quedaban abandonados. Se empeñaba en realizar cuanto antes lo que se le había metido en la cabeza y no descansaba hasta conseguirlo».

PENDIENTE DE UN HILO

Alva trabajó para el señor Walker de la joyería hasta que no hubo acuerdo en fijar su salario. Ni corto ni perezoso, solicitó un empleo en la red telegráfica de la compañía de la línea Grand Trunk en servicio nocturno y obtuvo un puesto en Stratford Junction, en Canadá. El sueldo era de veinticinco dólares al mes y el jefe de estación de Mount Clemens, el agradecido Mackenzie, tuvo mucho que ver en el asunto. Pero la vida de telegrafista empezó a aburrirle. Era algo monótona. Chocaba con su carácter: el de un joven ávido de emociones fuertes y con enormes ganas de aprender cosas nuevas.

«Los telegrafistas no sabían explicarme cómo funcionaba el telégrafo. Yo les hacía pregunta tras pregunta. Pero ellos se iban por las ramas. Cuando aquel jefe de estación me explicó que la electricidad era como un perro con el rabo en Edimburgo y la cabeza en Londres y que cuando se le daba un tirón en la primera ciudad ladraba en la segunda, me hice la idea más aproximada del asunto. Pero habría deseado saber qué sucedía en el cuerpo del perro. Es decir, en el interior del alambre».

Alva lo tenía claro. Ejercer de telegrafista por la noche era un trabajo de lujo que le permitía ganar dinero y dedicarse libremente al estudio, la experimentación y la investigación. Su turno comenzaba a las siete de la tarde. Y llegaba puntual. Aunque muerto de cansancio por su trabajo de laboratorio a lo largo de todo el día. Cada hora debía enviar al oficial que despachaba el tren una señal, que era el número seis, para demostrar que estaba bien despierto.

En tales circunstancias, parece que no le quedó más remedio que inventar un aparato que le permitía dormir cuando el sueño le vencía por la noche. Así, construyó una pequeña rueda con muesca y la conectó a un reloj que cada hora daba el correspondiente giro para poder transmitir los puntos de la señal. Un día se descubrió el engaño. El oficial de turno observó que no se recibía respuesta alguna si después de la señal se enviaba un aviso. Pero todo se saldó con una pequeña amonestación.

En el invierno de 1864, el cable telegráfico que unía Port Huron con Sarnia, que atravesaba el lecho del río, fue roto por un banco de hielo flotante y se interrumpió la comunicación. La situación era difícil. No había manera de cruzar el río y tampoco se podía reparar el cable. Alva tuvo la idea de usar el pito de vapor de una locomotora dando las señales cortas y largas del código Morse. Un telegrafista apostado en la otra orilla recogía fielmente el significado de los mensajes. Así se estableció una suerte de telegrafía sin hilos de un lado a otro del río. Hechos como aquél rompían la monotonía de su vida de telegrafista rural.

El trabajo de laboratorio lo tenía fascinado. Ni en sus horas de telegrafista nocturno podía dejar de lado aquella pasión. Cierto día un mecánico de los trenes de carga le contó que en la estación de Goodrich había varias cajas llenas de viejas pilas en desuso. Al ir a verlas, se quedó asombrado. En realidad, se encontró con ochenta pilas de Grove al ácido nítrico. Por si las moscas, le preguntó al telegrafista si podía llevarse los electrodos de cada elemento, hechos de hojas de platino. No hubo problemas. El buen hombre creía que eran de estaño y dio su permiso. Alva se puso loco de contento. El platino costaba un riñón y nunca en su vida podía imaginar que iba a ser dueño de un tesoro parecido. Cuarenta años después, siguió utilizando parte de aquel material en sus laboratorios. Stratford Junction pasó a la historia el día en que volvieron a pillarle en falta.

«Enseñé al sereno mi llamada y yo echaba un sueñecito entre uno y otro tren. Si llamaban a la estación, el hombre me despertaba. Una noche me avisaron que debía detener un tren de carga. Empecé a buscar al encargado de las señales. Pero pasó el tren y tuve que ir deprisa y corriendo al telégrafo para advertir que no había podido detenerlo. A través del hilo me llegó una maldición. El jefe de la otra estación había dado paso a un segundo tren en dirección contraria. Recordando que el telegrafista del turno de día dormía en una estación cerca del empalme, salí a toda prisa hacia allí. La noche era muy oscura. No se veía nada. Tuve la mala fortuna de caer dentro de una fosa y quedarme inconsciente. Por fortuna, los maquinistas de los trenes se descubrieron uno frente a otro en una recta y pudieron parar las máquinas a tiempo».

Alva se salvó por los pelos de sufrir males mayores. El despido no se hizo esperar. Lo peor era que el director general le ordenó presentarse a la oficina de Toronto para someterlo a un juicio severo. Oliendo el peligro, Alva optó por la huída. Se montó en un tren de carga y adiós muy buenas. Al ganar el Estado norteamericano de Michigan, respiró tranquilo. «La compañía sigue debiéndome el sueldo pero nunca se me ocurrió hacer una reclamación», diría Thomas Alva Edison mucho después.

EN EL CAMINO

Ser un buen telegrafista era una garantía para no morirse de hambre. La guerra civil se había llevado a centenares de telegrafistas al frente de combate. A Alva no se le escapó aquella realidad. Y se apuntó a ir de un sitio a otro para sacarse de encima la monotonía de apoltronarse en una sola oficina. En el Medio Oeste, llegó a convertirse en un operador telegrafista que iba más allá de las normas establecidas. En un oficio donde la bebida y la juerga estaban a la orden del día, Alva no dejaba de estudiar y experimentar. Leía como nadie: de un solo golpe de vista entendía el significado de una línea entera.

Después de Stratford, trabajó para la compañía «Lake Shore and Michigan Southern» en Adrian, Michigan. Luego se marchó a Toledo: el turno de día le impedía realizar sus otras actividades y duró apenas dos meses. A Indianápolis llegó en el otoño de 1864: encontró rápidamemnte un empleo en la Union Station con un sueldo de setenta y cinco dólares al mes. Pero en febrero de 1865 se vio obligado a buscarse la vida en otra parte.

«Al no poder leer las noticias de prensa con suficiente rapidez, resolví fundir dos registros Morse, uno de ellos para recibir las noticias y el otro para repetir los puntos y rayas a menos velocidad, con objeto de copiar cómodamente el mensaje. Todo fue bien mientras no se aceleraban las transmisiones. Al ir con más rapidez, el operador se retrasaba y los periódicos se quejaban. Les interesaba más la rapidez que la exactitud. Un compañero y yo tomamos la prensa durante varias noches. Él vigilaba el ajuste del aparato y yo copiaba. El operador de la prensa concluía su trabajo después de la una de la mañana. Un periódico protestó de la defectuosa copia que recibía de una a tres de la mañana y pidió que el operador que trabajaba hasta la una (mi amigo y yo) la tomara por entero porque su trabajo era perfecto. Hubo una investigación y se prohibió mi procedimiento».

Así fue como Alva se marchó de Indianápolis. No dejaba de ser curioso que aquel mismo sistema que le costó el empleo lo patentara años después para transferir mensajes de un hilo a otro, de forma simultánea o tras una pausa. Se basaba en un disco de papel, con muescas en espiral, como en el disco fonográfico. De ahí surgió su idea del fonógrafo.

EL ASESINATO DE LINCOLN

Como de costumbre, Alva se subió a un tren y bajó en la estación que más le apetecía. Vio el letrero de Cincinnati, le encantó aquel nombre tan musical y no se lo pensó dos veces. Pero una cosa era viajar sin pagar ni un centavo por ser telegrafista y otra muy distinta vivir con el bolsillo vacío. En el camino no valía de nada dormirse en los laureles. Así que pronto empezó a trabajar en la Western Union.

Un colega, Milton F. Adams, recordaba el día de su llegada: «Tendría unos dieciocho años y de su aspecto a su traje todo era vulgar. Estaba muy delgado y su nariz, excesivamente larga, le daba una apariencia napoleónica. No fue muy bien acogido por sus compañeros. Yo simpaticé mucho con él y nos hicimos grandes amigos. Sin duda, era el mejor operador del grupo».

Alva seguía en sus trece. Y en las horas muertas se sacaba de la manga algún invento para aliviar el trabajo de telegrafista. Una vez cambió los circuitos de las baterías y dejó a todos con el susto en el cuerpo. Más pesada fue la broma que les gastó a las ratas que infestaban la oficina. Ideó un aparato compuesto de dos placas aisladas entre sí y conectadas a la batería central: al pasar una rata y poner las patas delanteras sobre una placa y las traseras sobre la otra venía la corriente y quedaba electrocutada.

Con ochenta dólares al mes en el bolsillo, no podía permitirse demasiados lujos. Al menos, copiaba obras teatrales y se ganaba un sobresueldo. De vez en cuando, solía ir al teatro a ver representaciones de autores ingleses. El *Othello* de Shakespeare era su obra favorita. Y nunca dejaba de leer libros. Un día se le metió en la cabeza ascender de categoría. Y se prestaba a sustituir a los compañeros que preferían salir de juerga por las noches. Así, tomaba las noticias de prensa más difíciles. Sabía todos los trucos: si no entendía una palabra y le faltaba tiempo para averiguar su significado, la escribía de forma dudosa con el fin de que el cajista la interpretara a su gusto.

Corría el 9 de abril de 1865 y el general Lee con un ejército diezmado de apenas veintisiete mil hombres fue interceptado en su retirada hacia el Oeste. Y se rindió finalmente ante el general Grant. La guerra civil de cuatro años de duración había terminado. El trabajo monótono de los telegrafistas se alteró levemente con aquella importante noticia. Atrás quedaban las dos mil batallas y los miles de muertos. Pero el remate final estaba por venir. El viernes 14 de abril, entre las fiestas de la victoria, el presidente Abraham Lincoln fue al teatro Ford de Washington y, ya en el palco, un actor llamado John Wilkes Booth se colocó a su espalda y le disparó un tiro en la cabeza. «Que siempre caigan así los tiranos», gritó saltando al escenario.

> «Cierto día advertí un inmenso gentío que se agolpaba en la calle a comprar los periódicos. Se lo dije a mis compañeros y enviamos a uno a que se enterara de lo que pasaba. Al rato, volvió tembloroso y demudado diciendo: 'Lincoln ha sido asesinado'. Nos miramos unos a otros intentando descubrir quién diablos había recibido la información. Todos decían no saber nada. El jefe ordenó que consultáramos nuestros registros y uno de mis compañeros mostró el papel con la breve reseña del asesinato de Lincoln. Una noticia de tanta trascendencia pasó ante sus ojos como si nada».

Era hora de pensar en la hora del próximo tren y volver al camino. Su jefe recompensó los esfuerzos de Alva y le ofreció un puesto de operador en Louisville: ciento veinticinco dólares al mes y por la noche. Una maravilla que duró poco. Luego pasó como un rayo por Memphis, Decatur y Nashville. Hasta que volvió a Louisville.

LOUISVILLE BLUES

En Louisville pareció sentar la cabeza. Eso podía deducirse tras dos años de vivir en aquella ciudad. Un hecho insólito para un culo de mal asiento como Alva. En la Southern Telegraph Company sentó sus reales con la autoridad que le daba su condición de telegrafista nómada. Un día fue apresado el gerente de la oficina por unos soldados que lo encerraron en la prisión militar. El pobre hombre estaba incomunicado. Alva, que trabajaba justo enfrente de la ventana de su celda, intentó enviarle señales sacando su mano al exterior. El tercer día, comprendió el mensaje y empezó a hacer lo propio. Así, Alva pudo avisar a sus amigos que, finalmente, consiguieron su libertad.

«La sala de aparatos en Louisville ofrecía un aspecto tan lamentable como el de casi todas las oficinas telegráficas de entonces. En invierno usábamos una estufa destartalada, que se unía con la chimenea por medio de una tubería vieja. Nunca me fijé que limpiasen aquella oficina. Las conexiones de bronce del cuadro de distribución se hallaban destrozadas por los rayos, que parecían tener una especial predilección por Louisville. Caían sobre nuestra oficina como si fueran cañonazos. Quienes trabajaban allí poseían un corazón a prueba de bomba para sobrevivir. Los hilos de cobre estaban cristalizados y podridos. Y en la sala de baterías se amontonaban libros de registro y montañas de telegramas embalados. Sobre una tarima destruida por los ácidos, había un centenar de elementos de baterías de ácido nítrico».

En Louisville no faltaban las emociones fuertes. A falta de rayos y truenos, el operador del turno de día podía llegar borracho como una cuba a la oficina y emprenderla a puntapiés con todo lo que se le pusiera por delante. Por la noche, Alva tenía que ordenar el cuarto sin esperar palabras de agradecimiento por su labor de limpieza. El jefe solía fruncir el entrecejo y mirar con cara de ogro a sus subordinados. Pero la sangre no llegaba al río. Un día la borrachera fue monumental y el mobiliario de la oficina volvió a pagar los platos rotos. Fue una faena propia de una compañía de derribos. Casi nada quedó a salvo de la ira del operador. Hubo que decírselo al jefe. Éste sólo mostró la misma cara de siempre, y es que no tenía otra, y amenazó al operador con ponerle de patitas en la calle si repetía un acto semejante.

Los tiempos en que Alva ejerció de periodista total influyeron a la hora de tomar un respiro, por muy pequeño que fuera. Con frecuencia, asistía a las reuniones diarias entre George D. Prentice, poeta y redactor de un periódico local, y Tyler, de la agencia Associated Press. Un golpe de aire fresco. «Este Prentice fue el padre de la anécdota humorística, tan característica del periodismo americano. Era un hombre pequeño y delgado, muy culto, además de ser un buen poeta y un brillante orador. Tyler acababa de salir de la Universidad de Harvard. Era corpulento y se expresaba con una gran claridad». Alva se las ingenió para ser testigo silencioso de sus discusiones. Cuando el periódico ya estaba en la imprenta, se encerraban en un despacho y ambos hablaban de lo divino y lo humano ante la mirada de un telegrafista que no perdía el hilo de sus palabras.

Con objeto de saciar su sed de saber y no morir en el intento, Alva iba a las subastas de libros de segunda mano y pujaba a la baja. Nunca olvidó aquel día en que por dos dólares se hizo con veinte volúmenes en rústica de la North American Review. Mandó encuadernarlos y se los trajeron a la oficina. A las tres de la mañana, de vuelta a casa, un policía lo tomó por un ladrón al ver que llevaba un voluminoso paquete en sus manos. Le dio el alto varias veces. Pero Alva continuó su camino sin inmutarse. El policía sacó su pistola, disparó al aire y corrió hasta que le dio alcance. La sordera estuvo a punto de jugarle una mala pasada.

En Louisville se dejó seducir por los cantos de sirena de unos compañeros de fatigas que hablaban y no paraban de las maravillas de Brasil. En dirección al sur tropical, llegó a Nueva Orleans. Pero resolvió hacer cuanto antes el camino de vuelta. Un viejo español, que había hecho las Américas latinas, le dijo que se quedara en su tierra. Y Alva le hizo caso. George Ellsworth, telegrafista de Morgan, un famoso guerrillero sureño, era otro cantar. Alva entabló una gran amistad con aquel tipo duro. «Mira, chico, inventa un sistema secreto para enviar despachos y el Gobierno te pagará una fortuna por ello», fue su mejor consejo. Alva también lo tomó al pie de la letra. Y construyó un aparato con el que se podía despachar de forma simultánea cuatro telegramas por un mismo hilo. Ellsworth vio que el chico tenía futuro. Pero no pudo animarle más. Estaba harto de ser telegrafista y se hizo pistolero en Texas.

Al volver de su aventura brasileña sin cruzar siquiera el Río Grande, Alva se encontró con la oficina de Louisville totalmente cambiada. Ya no era un estercolero, sino un lugar inmaculado, con buenos aparatos y órdenes nuevas. El jefe mandó prohibir que cambiaran de lugar los instrumentos y se hicieran servir para uso particular. Alva se hizo el sordo, lo que no era difícil. Un día se metió en la sala de baterías a coger ácido sulfúrico para sus experimentos. Pero el frasco de ácido se le resbaló de las manos y cayó al suelo con tan mala fortuna que llegó a gotear en el despacho del director causando el deterioro irreparable de una mesa y una alfombra. El jefe no le perdonó: «Aquí necesitamos operadores y no experimentadores. Pase por caja y lárguese».

AL FILO DE LA POBREZA

El tren pasó de nuevo por Cincinnati. Alva se dejó arrastrar por los recuerdos y decidió apearse en aquella estación. No sabía qué hacer. Pero alquiló una habitación que tenía una cama y una estufa de petróleo. Fueron días duros. Al menos, conoció a Sommers, el jefe del telégrafo de la compañía ferroviaria Cincinnati & Indianápolis, que le dio autorización para que se llevara los aparatos en desuso. A falta de dinero, le seguía sobrando inventiva. De Cincinnati, más pobre que una rata, tomó un tren hacia Port Huron. Reunirse con su familia fue todo un acontecimiento. Pero el Este le tiraba demasiado. Cuando sonaban los nombres de Boston o Nueva York su cabeza daba vueltas y soñaba despierto. Al enterarse de que su amigo Milton Adams, con el que había trabajado en la Western Union de Cincinnati, se encontraba trabajando en Boston se le iluminaron los ojos. De inmediato, le escribió una carta pidiendo que le buscara empleo. La respuesta no se hizo esperar: en la oficina de la Western Union había una plaza vacante. Alva salió disparado hacia Boston sin un centavo y con lo puesto. La viva imagen de la pobreza. Corría el invierno del año 1868.

UN TELEGRAFISTA
CON INVENTIVA

BOSTON

El día en que Alva llegó a la oficina de la Western Union en Boston fue recibido con una sonora carcajada por todos los que iban a ser sus compañeros de trabajo. De la calle entró muerto de frío y apenas hizo caso de aquella reacción unánime. Sintió calor. Y eso fue todo. Quizás debió sonarle a una forma muy peculiar de dar la bienvenida de la gente del Este. Los vio, así a primera vista, muy tiesos y atildados, como si fueran caballeros ingleses. Masculló unas palabras ininteligibles, que venían a ser unos buenos días, sin dejar de mascar tabaco y se ajustó un ala de su sombrero con aire de forastero despistado del Salvaje Oeste.

La plaza vacante era suya, sí. No era un sueño, no. El mismo director de la oficina le sacó de dudas preguntándole cuándo quería empezar a trabajar. «Ahora mismo», respondió por si las moscas. Pero tuvo que frenar sus impulsos y tomarse las cosas con más calma.

«A las cinco y media en punto», precisó su jefe. Y así fue. Se presentó puntualmente al encargado del servicio nocturno. Recibió una pluma y se le asignó la línea número uno de Nueva York. Ajajá. De una sola vez tenía a tiro las dos ciudades de sus sueños. Se creyó en el séptimo cielo.

A espaldas de Alva, sus compañeros habían decidido gastarle una broma. La clásica novatada. Aunque por tratarse de «un grajo del Oeste», así lo llamaron de inmediato, le reservaban algo muy especial. Al cabo de una hora de espera, fue requerido para sentarse en una mesa y tomar una comunicación destinada al periódico *Herald* de Boston. Los bromistas ya reían por adelantado su gracia. No era otra que haberle pasado con uno de los más rápidos telegrafistas de Nueva York. Al principio, envió lentamente un saludo. Poco a poco, aumentó la velocidad. El pobre no sabía con quién se las tenía enfrente. En un momento de respiro, Alva levantó la vista, vio las caras de sus compañeros y adivinó sus intenciones. Pero se calló.

> «El empleado de Nueva York se puso entonces a embrollar sus palabras, a unirlas y a mezclar los signos. Pero yo estaba familiarizado con este género de telegrafía, gracias a los comunicados de prensa, y no me cogió desprevenido. Cuando creí que la broma había durado lo suficiente, con el trabajo casi concluido, abrí el manipulador y envié este mensaje al amigo neoyorquino: 'Vamos a ver, jovencito, ¿por qué no cambias un poco? Emplea ahora el otro pie' Esta advertencia le dejó tan sorprendido que no tuvo otro remedio que confiar a otro colega el final del comunicado».

Ya no volvieron a reírse de Alva. Incluso aquel telegrafista de armas tomar se permitió el lujo de gastarse treinta dólares en un traje para no ser menos que nadie. Pero la realidad acabó por imponerse al cabo de dos días: el traje, que servía para vestir y para bata de laboratorio, estaba hecho una pena. Luciendo las manchas de ácido como si fueran medallas fijas e indestructibles, comentó : «Esto se gana por derrochar tanto dinero en un traje».

En Boston, Alva se relacionó con gente importante y amiga de la investigación. Algo que le hizo sentirse muy a gusto. De forma especial, trató con Thomas Hall, que había construido una locomotora antigua en miniatura. Y con Charles Williams, fabricante de aparatos eléctricos, que sería socio de Alexander Bell y primer fabricante de teléfonos del mundo. Alva solía visitar su taller donde realizaba investigaciones y reparaba aparatos telegráficos.

Pero la lectura de las *Investigaciones Experimentales en Electricidad* del científico inglés Michael Faraday fue mucho más importante que el trato con aquellos grandes hombres. Un buen día se presentó en el cuarto que compartía con Milton Adams con las obras completas de Faraday y las leyó de un tirón olvidándose por completo de comer y dormir. Alva agradeció que Faraday se inclinara por la experimentación pura sin recurrir a complicadas fórmulas matemáticas, cosa que odiaba con toda su alma. Al dar por concluida la primera lectura, Edison se dirigió a Adams, su compañero de fatigas, y le dijo: «Tengo tantas cosas por hacer y la vida es tan corta que he de darme prisa».

INVENTOR SIN FORTUNA

Y se puso manos a la obra. Allá mismo, en Boston, realizó su primer invento con patente: una máquina contadora de votos con el número de matrícula 90.646 del 1 de junio de 1869. Algo que hubiera permitido votar a todo el Congreso norteamericano en un minuto y sin un solo error. Fue llevado a Washington y un comité llegó a estudiarlo detenidamente. Pero los congresistas se lo tomaron con calma. La autoridad competente meneó la cabeza y dijo: «Jovencito, es muy posible que aquí necesitemos un invento pero no su invento. Cuando queremos impedir que una ley salga adelante por considerarla mala se exige una votación nominal. Su invento nos privaría de ejercer esa facultad».

Aquí, en la ciudad de Boston, el inventor profundizó en los principios fundamentales de la electricidad, que son la base de la telegrafía, y realizó sin cesar nuevos experimentos para perfeccionar los aparatos que manejaba diariamente. Tampoco dejó de lado sus estudios de química. Después de la máquina registradora de votos, inventó un indicador automático de cotizaciones, inaugurando el servicio en Boston. Se hizo con cerca de cuarenta abonados al servicio y trabajaba en una habitación situada sobre la Bolsa de Oro.

El primero de estos aparatos apareció en Nueva York en 1867. Una de las cuatro firmas que se dedicaba a su fabricación, la Gold & Stock Telegraph Company, llegó a poseer un millón de dólares de capital. Las importantes ganancias que obtenía impulsaron a muchos operadores de telégrafos a buscar perfeccionamientos en estos aparatos. El indicador automático hacía llegar de forma casi instantánea las noticias del mercado a agentes, financieros y jugadores situados a miles de kilómetros de distancia. En 1868, Alva llevó a Nueva York su primer modelo de indicador automático. Pero no hubo manera de venderlo.

Un día consiguió un préstamo de ochocientos dólares para fabricar un aparato telegráfico dúplex, que permitía enviar dos despachos por un solo hilo. Tan pronto instaló el aparato, abandonó su trabajo en la Western Union. Con mucha ilusión, se dispuso a ensayar su invento en las líneas del Atlantic & Pacific Telegraph entre Rochester y Nueva York. Pero el empleado que estaba en el otro extremo de la línea no entendió ni una palabra de las instrucciones escritas que le había enviado Alva. Un fracaso. De golpe, se encontró endeudado y sin empleo.

La situación era muy delicada. Alva y su amigo Adams apenas tenían dinero para pagar la habitación, comer y vestirse. «Cierto día vimos mucha gente que se agolpaba frente a dos almacenes de ropa. En la fachada de uno de ellos habían colgado un anuncio: 'Acabamos de recibir trescientos pares de calcetines, que vendemos a cinco centavos el par. Ninguna relación con la tienda de al lado'. Lo mismo hizo la otra tienda. Así se entabló de oferta en oferta, de rebaja en rebaja, una dura competencia entre ambas. Cuando ofrecieron tres pares de calcetines por un centavo, Adams me dijo: 'No puedo más. Dáme un centavo' Y se abrió paso hasta la puerta de la tienda. «Tres pares», pidió a un dependiente. Éste abrió una caja y sacó tres pares de calcetines. Pero eran de niño. Adams mostró su sorpresa. 'A este precio no se permite a los clientes elegir la talla', le replicó el vendedor».

Alva, pobre como una rata, seguía leyendo a Faraday. De vez en cuando, repetía en voz baja unas palabras para darse ánimos:

«Tengo tantas cosas por hacer y la vida
es tan corta que he darme prisa».

NUEVA YORK

«Por el lado de la bahía los barcos que llegaban
vi las velas blancas de las goletas y las balandras
vi los navíos anclados
los marineros trabajando en el aparejo o a caballo sobre las vergas
los mástiles redondeados, el balanceo de los cascos, los estrechos
gallardetes flameando
los vapores grandes y pequeños en movimiento
los pilotos en su camarote y los blancos surcos
dejados al pasar, el girar rápido y trémulo de las ruedas
el arriar de las banderas al atardecer
los muros grises de los entrepuentes de granito de los muelles
el gran remolcador con las barcas a su costado
el barco cargado de heno
la gabarra rezagada
en la orilla próxima
los fuegos de las chimeneas de las fundiciones
que llamean con vivos fulgores
muy altos, muy altos en la noche
proyectando sus negros constrastes de luces
rojas y amarillas sobre las casas
y al final de las brechas de las calles»

Así vio el poeta americano Walt Whitman el puerto de Nueva York. Corría 1869. Y Thomas Alva Edison no sabía si darle la razón. Entre otras cosas, porque no llegó en barco. Los caballos tiraban de los tranvías. No habían cines ni letreros luminosos. Aunque era una ciudad gigantesca con más de un millón de habitantes donde los primeros rascacielos se disputaban las sombras más alargadas y la gente subía y bajaba en los ascensores hidraúlicos con los ojos como platos.

Edison vagó por la calles neoyorquinas con un hambre que lo devoraba. Fue un primer paseo inolvidable. Pero el primer desayuno no tardó en llegar. En el escaparate de una tienda vio a un tipo que lo único que hacía era beber y beber tacitas de té: no era una broma, sino una forma de atraer clientes. Con el atrevimiento de quien no tiene nada que perder, Edison entró en la tienda y se ofreció a tomar por un rato el relevo de aquel bebedor empedernido. Con el dinero ganado pudo pagarse un café y un pastel de manzana.

EL ORO Y EL MORO

En la Bolsa de Oro de Wall Street, Edison encontró su fortuna. Aquel lugar se había convertido en el centro de todas las operaciones bursátiles. Al principio, las cotizaciones se anotaban con yeso en grandes pizarras negras. Pero pronto se puso en funcionamiento un sistema más rápido: el llamado indicador del oro. Fue obra del doctor Laws, vicepresidente y administrador de la mismísima Bolsa de Oro, que patentó el invento y se dedicó en exclusiva a su nuevo negocio. Las cotizaciones se enviaban a una central por medio del sistema Morse y se distribuían a todos los clientes abonados.

Edison solicitó un empleo en la Western Union y a la espera de una contestación consiguió alojamiento en la sala de baterías de la compañía Gold Indicator del doctor Laws. Para matar el tiempo, se dedicó a estudiar los indicadores y el sistema transmisor. Al tercer día, el aparato general que transmitía los despachos a todas las líneas pareció explotar y se paró en seco. En un santiamén, más de trescientos abonados irrumpieron presa del pánico en una sala habilitada para cien personas. El operador se asustó y sufrió un repentino ataque de amnesia. El doctor Laws también se dejó llevar por aquel ambiente de sobreeexcitación colectiva y sólo hacía que gritar y poner más nervioso a todo el mundo.

«Yo me arriesgué a decir la causa de la avería: un muelle de contacto caído entre dos ruedas dentadas. El doctor Laws me ordenó: 'Arréglelo enseguida'. Quité el muelle, volví a poner las ruedas de contacto a cero y aconsejé que todos los empleados realizaran la misma operación en el resto de los aparatos. Dos horas más tarde, todo volvía a marchar a la perfección. El doctor Laws me preguntó quién era y a qué me dedicaba. Luego me rogó que pasara por su despacho al día siguiente. No falté. El doctor me hizo preguntas acerca de sus aparatos y del sistema y yo le indiqué cómo se podría simplificar todo el procedimiento. Y me nombró director de la instalación con un sueldo de trescientos dólares al mes».

Edison se quedó colgado en una nube. Era algo demasiado hermoso para ser verdad. Se pellizcó una y otra vez con el fin de salir de dudas. No era un sueño. Y resolvió que podía trabajar veinte horas al día por aquella suma de dinero. Así, perfeccionó el sistema e inventó varios aparatos registradores de las operaciones bursátiles hasta que la Gold & Stock Telegraph Company se unió a la Gold Indicator Company del doctor Laws. Contaba con veintiún años y ya se comía medio mundo. Aunque el mundo en que se movía estaba infestado de tiburones. El 24 de septiembre de 1969 pudo sentirlos de cerca. El llamado viernes trágico.

> «Fue un día muy agitado para los indicadores. Los grupos Gould y Fisk acapararon el oro y las cotizaciones subían a mayor velocidad de lo que podían trabajar los indicadores. Éstos funcionaban como un contador ordinario. Es decir, al dar una rueda diez revoluciones, hacía moverse a la inmediata, que a su vez actuaba sobre la siguiente. Aquel viernes por la mañana el indicador marcaba un precio de ciento cincuenta, mientras que las ofertas de los agentes de Gould en la Bolsa de Oro eran de ciento sesenta y cinco por cinco millones o fracción. Se nos ocurrió colgar un pisapapeles en el transmisor para hacerle trabajar a mayor velocidad y sólo a la una de la tarde nos pusimos a la par con las cotizaciones».

Edison nunca había visto nada parecido. Por New street y Broad street corrían aires de tragedia. Para ver mejor aquel espectáculo de gente asustada corriendo arriba y abajo, se sentó en lo alto de la cabina telegráfica de la Western Union. El banquero Speyer se volvió loco y cinco hombres tuvieron que sujetarlo para evitar que cometiera una barbaridad. Un telegrafista se acercó a Edison, le estrechó la mano con efusión y dijo: «Al fin y al cabo, los que no tenemos nada no perdemos nada». Aquel viernes trágico los pobres podían disfrutar de su pobreza.

> «Más tarde, el oro bajó a ciento treinta y dos y nos pasamos toda la noche para conseguir que los indicadores retrocedieran hasta ese número. Nadie durmió. Las calles, completamemnte iluminadas, estuvieron llenas de gente y en las oficinas de los agentes nadie dejó de trabajar. El desconcierto era general. Todos ignoraban si se habían arruinado o no».

LLUVIA DE DÓLARES

El 1 de octubre de 1869, Edison se metió de lleno en el mercado de los inventos al formar una asociación con el ingeniero telegrafista Franklin L. Pope, socio del doctor Laws, y J. N. Ashley, editor del periódico Telegraph. Estaba todavía caliente el recuerdo del viernes trágico neoyorquino. Y no había tiempo que perder. Sin pausa, siguió trabajando en los aparatos impresores telegráficos. Un día, inventó un sistema revolucionario que indicaba las cotizaciones del oro y, además, las imprimía. Fue vendido a la Gold & Stock Telegraph Company: todo un éxito.

Edison trabajaba en un pequeño taller del doctor Bradley, muy cerca de la estación de ferrocarril de Pennsylvannia, en Jersey. Vivía con su socio y amigo Pope en Elizabeth. Solía levantarse a las seis de la mañana, desayunaba deprisa y corriendo, y andaba un kilómetro y pico para tomar el tren de las siete. Cada noche volvía a su casa en el tren de la una. Cuando la Gold & Stock Telegraph y la Gold Indicator del doctor Laws se unieron para fundirse en una sola compañía dirigida por el general Marshall Leffters, la suerte de Edison empezó a tomar un camino menos espinoso. El general le pidió que se dedicara exclusivamente a perfeccionar el indicador automático y puso a su disposición todo el dinero necesario.

Edison se convirtió en una máquina de inventar. «Entre los muchos inventos que realicé en aquel entonces, figuraba el indicador especial, que se usaba tanto en Nueva York como en otras grandes ciudades. Un aparato muy sencillo, que también se empleó en la Bolsa de Londres. Otro de los inventos fue un aparato capaz de hacer que un indicador de la oficina de cualquier agente marchara de acuerdo con la estación central, caso de que marcara cifras diferentes. Mi aparato ahorraba mucho trabajo y muchas molestias a los agentes».

Un día, el general Lefferts le dijo de sopetón: «Vamos a ver, muchacho. Deseo liquidar la cuenta pendiente de sus invenciones. ¿Cuánto cree que le debo en justicia?» Edison, tomado por sorpresa, hizo cálculos y pensó que bien podía tener derecho a cobrar unos cinco mil dólares. Pero,¡ diantres!, tampoco estaría nada mal si pudiera embolsarse unos tres mil pavos. Con muy buen tino, acertó a responder: «Prefiero que usted valore mi trabajo». Y la decisión final del general le dejó asombrado: «De acuerdo. ¿Le parecen bien cuarenta mil dólares?» Apenas pudo articular palabra. Sintió un mareo de felicidad incontenible. Temió que se pudieran oír los latidos de su corazón desbocado. Al fin, soltó un leve ronquido que el general interpretó como una respuesta afirmativa.

Tres días después, se acercó a la oficina para formalizar el contrato. Tenía el miedo metido en el cuerpo, como temiendo que no fuera verdad. Ni siquiera leyó las cláusulas. Era el primer cheque de su vida. Cuando fue al Banco de Nueva York a cobrarlo, el empleado le dijo unas palabras que su sordera le impidió oír. El mundo se le cayó encima al serle devuelto el cheque. Creyó que había sido víctima de un engaño. Salió a la calle y empezó a sudar copiosamente. Su gozo en un pozo. Se veía en la miseria.

«Regresé al despacho del general. Pero éste y su secretario se rieron mucho por lo sucedido. E hice una segunda visita al banco en compañía de un empleado. Allá, el mismo empleado de antes también se rió. Pero me entregó los cuarenta mil dólares en billetes pequeños. No podía sospechar que seguían burlándose. Guardé como pude todos los billetes en los bolsillos del gabán y de mi traje y no pegué ojo en toda la noche por temor a ser robado. Al día siguiente, le pedí al general que me aconsejase sobre lo que debía hacer con tanto dinero. Él se volvió a reír. Pero dio por concluida la broma y me indicó que abriera una cuenta bancaria a mi nombre y depositara en ella el dinero».

EL TELÉGRAFO AUTOMÁTICO

Con los cuarenta mil dólares en el bolsillo, Edison abrió de 1870 a 1871 tres talleres en Newark. Impuso un ritmo frenético. Hubo un tiempo en que andaba metido en el perfeccionamiento de cuarenta y cinco inventos a la vez. Y sus muchachos, por turnos, no dejaban de trabajar las veinticuatro horas del día. Unos muchachos brillantes como los alemanes John Ott, Bergmann, Söhuckert, el suizo Kruesi y el inglés Charles Bachelor. Un equipo que arropó a Edison en su papel de incansable fabricante-inventor. Siempre la misma cantinela: «Tengo tantas cosas por hacer y la vida es tan corta que he darme prisa».

Al abrir el último taller, alquiló una parte del local a un hombre inventor de un nuevo rifle adoptado por el Ejército norteamericano. Era el mejor constructor de herramientas que había visto en su vida. Edison le pagó sesenta dólares semanales para que trabajara para él como director. «Era una máquina. Y muy veloz. Sólo hablaba lo imprescindible. En tres meses duplicó la producción, logrando una mayor rapidez de corte de las herramientas. Cuando le vencía el cansancio, se tendía en un banco de trabajo, dormía media hora y se levantaba totalmente recuperado. Es lo que yo mismo hacía. Y por eso me sentía tan orgulloso de él. Por desgracia, un día desapareció y no hubo manera de encontrarle. Dos semanas después regresó al taller en un estado lamentable. Y me dijo que quería trabajar pero cobrando menos. Era una víctima del whisky. En adelante, desempeñó un cometido de menor responsabilidad».

La noche y el día eran una sola cosa en los tres talleres de Newark. Los muchachos amanecían y anochecían sin darse cuenta. Reinventaban el tiempo para seguir inventando.

Un día el inglés George Little inventó un procedimiento de telegrafía automática solamente válido para una línea corta. Pero Edison dijo la última palabra. A un tal E. H Johnson se debió que pudiera decirla. Este hombre aconsejó a la compañía ferroviaria Pennsylvania que no dejaran de lado el invento del inglés Little, desestimado por algunos. Había que darle otra forma y la persona adecuada para llevarlo a cabo no era otra que Edison, «un joven del que se decía que era un portento en asuntos de invención y trabajaba como una bestia».

Johnson convenció a Edison para que se hiciera cargo del trabajo. Edison y sus muchachos consiguieron transmitir y registrar mil palabras por minuto entre Nueva York y Washington y tres mil quinientas por minuto a Filadelfia. Con la transmisión a mano, por medio de un pulsador, se alcanzaba un máximo de cuarenta o cincuenta palabras por minuto. Edison observó que en una línea de gran longitud los impulsos eléctricos se transmitían con mucha lentitud a causa del fenómeno conocido con el nombre de autoinducción. En el sistema Morse esa dificultad se subsanaba con el uso de condensadores. En la telegrafía automática, se pretendía trabajar con una frecuencia de impulsos de veinticinco a cien veces mayor que en Morse. Pero nadie veía cómo poder transmitir de forma inteligible a una velocidad tan grande.

Edison descubrió que al aplicar una derivación alrededor del aparato receptor con un núcleo de hierro dulce se conseguía que la autoinducción produjera una inversión pasajera e instantánea de la corriente al término de cada impulso. En consecuencia, se lograban señales muy precisas. Una innovación que anuló la autoinducción del hilo en largos trayectos. También perfeccionó la construcción mecánica de los instrumentos y señaló qué agentes químicos suprasensibles deberían emplearse en los receptores. Implantó comercialmente el telégrafo automático.

En vista del éxito, Edison fue el encargado de fabricar un telégrafo automático que imprimiera en letras del alfabeto, sustituyendo a los puntos y las rayas tradicionales. La compañía que lo contrató puso a su disposición un taller con maquinaria de alta calidad. Allá hizo el primer tipo de aparato modificado y experimentó en el sistema impresor hasta conseguir que en una prueba realizada entre Nueva York y Filadelfia se transmitieran tres mil palabras en un minuto impresas en caracteres romanos.

El éxito de Edison sirvió para enviar regularmente dinero a sus padres. Pero ese mismo éxito lo tenía prisionero. Hacía tres años que no veía a su familia. Un día su madre se puso gravemente enferma. Pero Edison, atado al trabajo, sólo enviaba palabras de disculpa y ánimo por carta. El 11 de abril de 1871 recibió un telegrama de Port Huron: Nancy Edison acababa de morir. Por una vez, Thomas Alva Edison lo dejó todo y salió a toda prisa para poder asistir al entierro de «la mujer que me había formado».

Edison apenas tuvo tiempo para deprimirse por la muerte de su querida madre. Al regresar a Newark, el trabajo ya estaba absorbiéndole completamente. Pronto le encargaron que perfeccionara una máquina de escribir de madera ideada por un inventor de Milwaukee llamado Scholes. Una tarea muy complicada. «Las letras nunca quedaban en línea, sino unos dos milímetros por encima o por debajo de las otras. Pero me puse a trabajar y la perfeccioné. Se construyeron algunas, que se utilizaron en las oficinas de la Automatic Company. La máquina perfeccionada lleva hoy el nombre de Remington. Por aquel entonces se me ocurrió inventar un aparato que pudiera transmitir cuatro mensajes simultáneos por un solo hilo, sin estorbarse mutuamente. Con estos experimentos y mis cuatro talleres en plena actividad estaba tan ocupado que ignoraba lo que era el aburrimiento».

LA BODA NO FUE UN INVENTO

Edison se enamoró de la noche a la mañana. No podía ser de otra forma. Aún más: ocurrió en su propio taller de Newark. Mary Stilwell tenía dieciséis añitos. Y se ocupaba de hacer perforaciones con un punzón en la cinta telegráfica. Un día, el jefe se sintió atraído irremisiblemente por Mary. A partir de entonces, solía contemplarla con ojos de cordero degollado sin atreverse a decir ni una palabra. Aquella timidez se acabó de golpe cuando Mary le espetó: «Aunque no lo vea, señor Edison, siempre sé el momento en que usted se encuentra detrás de mí». Edison tampoco se anduvo con rodeos. «Me gustaría casarme con usted», le dijo. Y añadió: «Estoy hablando muy en serio. Comunique mis intenciones a su familia. Mientras tanto, sería conveniente que nos conociéramos mejor. ¿Le parece que nos veamos el próximo martes?»

La sordera de Edison tuvo mucho que ver en aquella historia amorosa. «He comentado en más de una ocasión que el hecho de ser sordo me sirvió para concentrarme mejor. En mi noviazgo también se convirtió en una gran ayuda. Con la excusa de oír a Mary, podía acercarme a ella más de lo esperado. Si no hubiera dispuesto de algo así para vencer mi timidez, quizás no habría llegado hasta el final. Después, cuando ya todo fue sobre ruedas, no era necesario oír nada».

El padre de Mary entendió que la prisa era mala consejera y decidió que, dada la juventud de su hija, la boda podía esperar un año más. Edison le enseñó a Mary el código Morse y así, durante los encuentros en su casa, resultaba divertido hablar a golpecitos para evitar que se enterara la familia. Las cosas fueron tan bien que se casaron el día de Navidad de 1871 en Newark.

Las malas lenguas decían que Edison, absorto en su trabajo, se había olvidado de la boda. Otros aseguraban que había dejado sola a su esposa en la nueva casa de ocho habitaciones de Wright street. Algo desmentido una y otra vez por el protagonista principal.

> «El día que me casé con mi primera esposa
> devolvieron a la fábrica una partida de indicadores por
> imperfectos. Una hora después de la ceremonia me
> acordé de ellos. Se lo dije a Mary y fui a ver si

descubría en qué consistía la imperfección de los aparatos. Al llegar a la fábrica, me encontré con Bachelor revisándolo todo. Así que una hora más tarde regresé a mi casa. Esto es todo. Olvidarme de la boda es una pamplina. Tanto mi mujer como yo nos reíamos mucho de las patrañas. Aunque luego nos disgustó. Porque es una historia que se pega y me hace creer que siempre se hablará de mí como de aquel hombre que se olvidó de su esposa».

Los Edison pasaron su luna de miel en las cataratas del Niágara. Al principio, Edison intentó sin éxito interesar a Mary en sus asuntos profesionales. No le quedó más remedio que asumir la realidad: el hogar era una cosa, el laboratorio otra cosa. Tuvieron una hija y dos hijos. La primera se llamó Marion, como la hermana mayor de Edison, y le colgaron el apodo de Dot o Punto en honor del telégrafo que por entonces tenía ocupado al padre. Thomas fue su segundo hijo: aunque lo llamaban Dash, que significa Raya. El tercer hijo se llamó William a secas. Era duro vivir con un inventor como Edison. Volvía muy tarde a casa. Y siempre lo hacía medio muerto de cansancio.

Hubo días en que se pasaba la noche y el día metido en el taller sin salir apenas. Luego aparecía como si fuera un fantasma, pálido, ojeroso, sucio, no abría boca y se tumbaba en la cama sin quitarse la ropa. Pero Mary sentía adoración por él y encima le tenía por un Dios.

A INGLATERRA

Edison, Harrington y Reiff poseían las patentes extranjeras del nuevo telégrafo automático y se pusieron en contacto con las autoridaes británicas de telecomunicaciones para realizar un ensayo del sistema en la línea Liverpool-Londres. Era 1873. Y Edison cruzó el charco por primera vez en su vida. Le acompañaba uno de sus muchachos, Jack Wright, un operador telegrafista muy hábil. La travesía marítima se ajustó al nombre del barco en el que iban: Jumping Java o Java Saltador. Entre salto y salto oceánico llegaron sanos y salvos a Londres. Una vez pisada la tierra firme, se pusieron manos a la obra. Edison instaló los aparatos en la central de telégrafos. Wright se dirigió a Liverpool con el resto de los instrumentos:

su objetivo era mandar unas mil palabras por minuto, que Edison recibiría y registraría en Londres, y la transmisión regular de quinientas cada hora durante seis horas seguidas. Para las pruebas, recibieron baterías, hilos y otros materiales que dejaban mucho que desear. Un inspector inglés ya les advirtió: «No van a hacer gran cosa. El cable es tan viejo que ya no se utiliza y en Liverpool no podrán contar sino con baterías de arena». Edison agradeció el soplo. Aunque se quedó helado ante semejante boicot.

«Estaba alojado en un pequeño hotel de Covent Garden llamado 'Hummus' donde sólo servían rosbif y lenguados, lo que me dejaba atontado. Por fortuna, descubrí una pastelería francesa en High Holborn y me puse las botas de tanto comer dulces. A la mañana siguiente, muy temprano, contacté con el coronel Gourand y le rogué que me consiguiera una potente batería para mandarla a Liverpool. Me envió a casa de Apps pero sólo disponían de una batería de la Tyndall´s Road. Temí que no me sirviera de nada. Se componía de cien elementos y costaba cien guineas. No tuve otra alternativa que comprarla. La batería llegó a Liverpool dos horas antes de la hora fijada para el comienzo de la prueba. Si la línea tuvo éxito se debió a que recibió la corriente adicional de un imán. Y no hubo ni un solo fallo en el registro de las señales».

El telégrafo automático se instaló con éxito en Inglaterra. Pero Edison no cobró nada. Los ingleses se apropiaron de su invento y santas pascuas.

HELLO!

LÍOS TELEGRÁFICOS

Edison se vio envuelto en una guerra de patentes que le dejaron exhausto. Los tiburones campaban a sus anchas en aquel mundo capitalista. Enriquecerse en poco tiempo, a toda costa y sin escrúpulos ocupaba el tiempo de una generación que no tenía esa conciencia moral reivindicada por poetas visionarios como Walt Whitman.

En aquellas aguas turbulentas, Jay Gould ejercía de financiero despiadado, la Western Union tenía el papel monopolizador y Edison era un pobre diablo que inventaba para provecho de unos y de otros. Cuando la Automatic Telegraph de Gould consiguió por medio de artimañas la patente para retirar la palanca de la maqueta de un telégrafo, la Western Union, su máximo rival, recurrió a Edison con el fin de contrarrestar aquella ofensiva en toda regla.

El inventor ideó un sistema para enviar mensajes telegráficos sin utilizar el electromagneto. Pero el pacto establecido entre los dueños y señores del telégrafo hizo que el invento de Edison pasara a mejor vida.

Lo peor fue que, además, no cobró nada por su invento.

Tiempos difíciles para Edison. Su escaso olfato negociante le había llevado al borde de la ruina. Su capacidad inventiva le salvó una vez más. Un sistema casero contra robo o incendio y de llamada inmediata de auxilio y otros inventos menores sirvieron para enderezar el rumbo económico. La pluma eléctrica, que funcionaba con un pequeño motor eléctrico alimentado por una batería de dos vatios y que servía para obtener copias de cartas o escritos trasladados a una cinta perforada, también tuvo éxito. Y el mimeógrafo, un aparato precursor del multicopista. Lo vendió por cuatro cuartos a un pez gordo de la industria de Chicago y éste se hizo todavía más gordo con el invento de Edison.

El inventor telegrafista estaba condenado a entenderse con la Western Union, que monopolizaba prácticamente todo el sector telegráfico. Pero los inventos podían chocar con los intereses de la compañía y quedarse en nada. Eso le ocurrió a Edison con su telégrafo multiplex, que transmitía varias conversaciones al mismo tiempo en ambos sentidos. La Western Union no quiso arriesgarse en una aventura incierta que podía costarles dinero. Los negocios iban viento en popa con lo puesto y punto. Ante la reticencia de la compañía a tomar en cuenta nuevos sistemas de transmisión telegráfica, Edison se embarcó con el aventurero Jay Gould. La puesta en marcha del sistema cuádruplex, que emitía dos mensajes al mismo tiempo en cada dirección, supuso el comienzo de una pesadilla judicial para el inventor, que no era otro que Edison. Fue considerado el perfeccionamiento más importante del telégrafo. Y los tiburones olieron el festín. Cuando Edison trabajó para Gould se sacó de la manga un aparato repetidor de mensajes telegráficos llamado electromotógrafo, que era el cuádruplex. Ello dio aire a una compañía en horas bajas. Pero la patente de invención estaba en poder de la Western Union. De inmediato, las compañías pugnaron judicialmente por los derechos de aplicación de un invento que, al fin y al cabo, pertenecía a Edison.

El inventor no ganaba para sobresaltos. Jay Gould le había prometido el oro y el moro. A la hora de la verdad, nada de nada. Y tuvo que volver a la Western Union. Pero los dos tiburones siguieron disfrutando con el invento: las ganancias eran mucho mayores que antes. Con el tiempo, Jay Gould llegó a un acuerdo con uno de los magnates de la Western Union y se hizo con el control de la compañía rival. «Cuando Gould se metió en la Western Union supe que no eran posibles más progresos en el telégrafo y me dediqué a otras cosas», recordó Edison.

LOS PRIMEROS HILOS DEL TELÉFONO

Allá por 1860, Philip Reis, un profesor alemán, fabricó algunos modelos de aparatos de telefonía eléctrica inspirándose en el oído humano. Su invento se exhibió en Alemania e Inglaterra y el físico Van der Weide lo mostró en Estados Unidos. Un biógrafo de Reis apuntó: «De haber sabido que ajustando su transmisor el contacto quedaba siempre establecido, habría tenido ya un transmisor articulado. Más aún: de haber unido dos receptores y usado uno como transmisor, hubiera podido transmitir la voz humana. Con aparatos con tantas posibilidades, parece realmente extraño que el mero descuido de no haber vuelto un tornillo de rotación fraccionaria sobre su eje o no haber unido dos postes de comunicación especiales con su alambre, haya dado a los que vinieron después de Reis, media generación más tarde, el honor de haber transmitido primero la voz articulada».

El aparato de Reis fue adquirido por el Smithsonian Institute norteamericano. Y así, Alexander Bell, un joven de origen escocés que trabajaba en la telegrafía armónica buscando transmitir sonidos vocales, tuvo la ocasión de contemplar aquella maravilla por primera vez en su vida. Bell nació en 1847 y estudió elocución en Londres. A los veintitrés años enfermó de tuberculosis y la familia decidió cambiar de aires viajando a Canadá. En 1871 se licenció en Medicina por la Universidad de Boston y dos años más tarde ocupó la cátedra de Fisiología vocal y Elocución en la misma institución universitaria.

Graham Bell conoció al físico Joseph Henry, descubridor de la inducción, que es la transmisión de la energía por medio de campos eléctricos. Gracias a él, llegó a la conclusión de que la variación de intensidad de una corriente eléctrica provocada por un sonido podría transmitir el sonido telegráficamente. Pronto consiguió un dispositivo capaz de variar la intensidad de una coriente continua de acuerdo con la intensidad de las ondas sonoras. El aparato consistía en una bobina enrollada alrededor de un imán y que llevaba una membrana delante de uno de sus extremos. En la Exposición de Filadelfia de 1875 presentó su invento.

El 15 de febrero de 1875 en que Bell solicitó la patente de invención para dos teléfonos magnéticos destinados a la transmisión de la palabra, el carpintero Elisha Gray hizo lo mismo para un invento suyo que también transmitía la palabra y la reproducía en un circuito telegráfico «a través de un instrumento cuyas vibraciones corresponden a todos los tonos de la voz humana, que los convierte en audibles». La Oficina de Patentes se veía inmersa en un conflicto muy difícil de resolver. Al final, se decidió dar la propiedad del invento a quien hubiese presentado la solicitud de registro en primer lugar. Y ganó Bell por una hora. Aunque Gray mantuvo lo contrario hasta el día de su muerte.

Graham Bell no se lo pensó dos veces. Y creó su compañía telefónica. Aunque su aparato distaba mucho de alcanzar el mínimo grado de perfección para poder ser comercializado con garantías de éxito. Su radio de acción era limitado: apenas permitía comunicarse en veinte o treinta kilómetros a la redonda. No dejaba de ser un juguete exótico por el que nadie daba un centavo de más: así pensaban los tiburones.

EL OTRO INVENTOR DEL TELÉFONO

Edison había fabricado un aparato que figuraba en un registro provisional de patentes con fecha del 15 de enero de 1875 y al que una litografía conservada en el laboratorio de Orange le da el siguiente título: «El primer teléfono conocido». Se trataba de un pequeño solenoide con un extremo del émbolo sujeto al diafragma de una caja de resonancia que podía ser usado como teléfono magnético. Edison quiso dejar bien claro que su intención no era transmitir la palabra, sino estudiar las ondas creadas por varios sonidos. Aunque alguna vez reconoció: «Si no hubiera sido por mi sordera lo habría descubierto ocho meses antes. Mi sordera me llevó por un camino equivocado en los experimentos y anduve tras una pista falsa durante varios meses».

Edison le dio utilidad práctica al invento del teléfono de Bell. De eso no hay la menor duda. Cuando comenzó a estudiarlo se quedó asombrado: incluso un sordo como él apenas podía resistir el zumbido y los ruidos que salían el aparato. Carecía de transmisor y se hablaba a través del receptor magnético. Era del tipo electroimán. Un verdadero calvario. Menos mal que la Western Union y el señor Orton le encargaron a Edison que mejorara la audición. Y, ¡eureka!, se le ocurrió la idea del transmisor de carbón. Todo un hallazgo. Separó el emisor del receptor y creó un dispositivo muliplicador de sonidos: el micrófono.

Los tiburones no paraban quietos. La Western Union y la compañía telefónica Bell andaban a la greña. Por aquel tiempo, un húngaro llamado Puskas propuso con muy buen tino que se establecieran centrales telefónicas. Y en el aire se olió una nueva guerra sucia. A Edison, por medio del señor Orton, le fue encomendada la tarea de instalar una central para la Western Union. Esta vez, el inventor estaba dispuesto a pedir veinticinco mil dólares por el trabajo. Pero antes de manifestarse, optó por el truco de dejar que le hicieran una oferta. «Cien mil dólares», propuso Orton. Se quedó otra vez mudo. Por poco tiempo. «Quiero que me lo paguen a plazos. Seis mil dólares al año durante diecisiete años», contestó con seguridad matemática. Así se curaba en salud. Con todo el dinero en el bolsillo, había la tentación de gastarlo de golpe en cualquier experimento.

Edison seguía encerrado en su taller:

> «Instalábamos algunos teléfonos. A veces, metía un cuchillo por los aisladores y cortaba un alambre y estropeaba de varias maneras los aparatos. Entonces, los mecánicos se ponían a trabajar para encontrar la causa del problema telefónico. Y si algún trabajador podía hallar diez veces en el espacio de diez minutos dónde se encontraban los diferentes desperfectos, se le pagaba el viaje hasta el punto donde requerían sus servicios. Las tres cuartas partes de estos mecánicos que así probaron su habilidad los envié al extranjero y se hicieron ricos».

El transmisor de carbón fue una idea genial de Edison que se aplicaba a la telegrafía moderna: variaba la resistencia del circuito transmisor utilizando cambios de presión y su carrete de inducción aumentó la longitud efectiva del circuito transmisor. Con referencia al teléfono, los instrumentos de carbón fueron multiplicándose: el teléfono de agua, el teléfono químico, teléfonos magnéticos, el teléfono de mercurio, el de inercia, el de pila voltaica, el transmisor musical y el electromotógrafo.

GUERRA DE PATENTES

Entre la American Speaking Telephone Company, filial de la Western Union, y la Bell Telephone Co., propiedad de Graham Bell y su suegro, se entabló una dura competencia. Fue la guerra del teléfono. En juego: la superioridad industrial y un montón de dólares.

La Western Union tenía la patente del transmisor de carbón de Edison, muy superior al de la Bell. Pero esta compañía se hizo con la patente del transmisor de un judío alemán residente en Washington llamado Emile Berliner. De inmediato, el asunto pasó a los juzgados. Al cabo de quince años de disputas legales, el Tribunal Federal concedió la patente a Edison. Con el tiempo, los tiburones llegaron a un acuerdo. La Bell se comprometió a pagar a la Western Union royalties durante diecisiete años. A cambio obtenía lo siguiente: la Western Union se retiraba de la lucha por la telefonía.

Entreguerras, Edison tuvo que buscar una solución para eludir la patente de invención de un tal Page que complicaba las cosas. «El problema era complicado. El único procedimiento que se conocía de mover una palanca en el extremo opuesto de un hilo telegráfico era un electroimán. Recordé que unos años atrás había observado un fenómeno muy curioso: si un trozo de metal conectado a una batería se frotaba sobre un segmento de yeso húmedo colocado sobre un metal conectado al polo opuesto, la fricción disminuía al pasar la corriente. Cambiando el sentido de la corriente, la fricción aumentaba. Así pues, sustituí el imán por un trozo de yeso que giraba gracias a un pequeño motor eléctrico y conecté un resonador en un índice metálico apoyado en el yeso. Había vencido la patente de Page».

Por aquel trabajito Edison recurrió a su truco original a la hora de pasar factura. El señor Orton parecía haberse abonado al número cien mil y así se lo hizo saber. El inventor tampoco cambió su forma de cobro: seis mil dólares anuales en diecisiete años. Así tenía doce mil dólares asegurados cada año.

Poco tiempo después, Edison se vio envuelto en otro asunto parecido. Los propietarios de la patente de Bell acusaron de usurpadora a la compañía que Edison había formado con el coronel Gouraud para la introducción del teléfono en Inglaterra. El receptor de Bell era mucho mejor que el de Edison. Lo contrario del transmisor, obra de Edison y mil veces superior al de su rival.

«Otra vez acudí al motógrafo, al fenómeno que hacía que las variaciones de la corriente eléctrica aumentaran o disminuyeran la fricción de un electrodo sobre una superficie de yeso húmedo. Construí un receptor telefónico carente de imán, solamente con un diafragma y un cilindro de yeso con una presión de seis libras. El aparato alcanzaba tal volumen de sonido que la voz de una persona hablando ante el transmisor de carbón de Nueva York se oía tan amplificada que al aire libre alcanzaba una distancia de más de trescientos metros».

Edison volvió a sus viejos métodos.

«Fabriqué seis receptores y los envié en el primer barco. Tuvieron éxito y enseguida mandé cien más. También me pidieron veinte jóvenes expertos adiestrados por mí. Dispuse diez aparatos en el laboratorio, que descomponía, cortando los hilos de uno, entorpeciendo el ajuste de otro, estableciendo un cortacircuito, colocando algo de polvo entre los electrodos y así hasta dejarlos todos averiados. Concedía a cada uno cinco minutos para arreglar cada uno de los desperfectos. Quienes lo conseguían, estaban en disposición de ir a Londres. Sólo encontré veinte entre un grupo de sesenta. Cuando la compañía Bell comprendió que no nos podía impedir trabajar, se avino a un convenio con nosotros. No tardé en recibir un cable del coronel Gouraud ofreciéndome treinta mil por mis desvelos. Le respondí que los aceptaba. Yo suponía que estaba hablando de dólares. Pero lo que recibí fue mucho más: treinta mil libras esterlinas».

El ensayo definitivo se celebró en marzo de 1879 en Londres. Fue un éxito. Hubo un acto solemne en el que hablaron el príncipe de Gales, heredero de la Corona británica, y el primer ministro Gladstone.

UN BANQUETE TELEFÓNICO

El teléfono era la última maravilla del momento. En su honor, los miembros de Asociación de la Universidad de Washington organizaron una fiesta por todo lo alto en el que aquel aparato transmisor y receptor iba de boca en boca y de oído en oído en Nueva York, Chicago, San Luis y Portland. Los comensales degustaron un menú telefónico que colmó todas sus aspiraciones.

Un tal F. A Jones lo vio así: «Teniendo en cuenta que el expreso más rápido tarda veintiocho horas en recorrer el trayecto de Nueva York a San Luis, se apreciará mejor la excelencia del servicio telefónico al saber que no ocurrió en todas las líneas una sola interrupción y que las voces de los que brindaban y contestaban a los brindis en las cuatro ciudades se oían tan claras y distintas como si los oradores hubieran estado juntos en el mismo salón». Fue un acontecimiento único. «Ochenta receptores y transmisores se instalaron en las mesas de cada banquete. El honor de pronunciar el primer brindis lo tuvo el señor William Curtis desde San Luis. Y le contestó el señor Grant Beebe desde Chicago. Se sucedieron los brindis y el último se hizo a las doce de la noche. A esa hora desde las cuatro ciudades se dijo buenas noches y se cerró la comunicación».

La implantación del teléfono cambió las costumbres de medio mundo. Y muy pronto se pasó de las fórmulas del «¿está usted presente?» o «¿está usted en disposición de hablar?» al rotundo y simple «hello!» de Edison. Sólo a un inventor que estaba sordo como una tapia se le podía ocurrir una palabra tan brillante y expresiva para iniciar una conversación telefónica.

Edison dejó la investigación telefónica cuando los tiburones privados, ávidos de lucro fácil y rápido, monopolizaron la industria. Con su estrategia inmovilista a la hora de invertir dinero en el desarrollo técnico frenaron durante muchos años el trabajo de perfeccionamiento del teléfono.

MENLO PARK

EL REINO DE LA MAGIA

En la primavera de 1876, Edison decidió largarse de Newark. Y eligió un lugar perdido en el campo, en Nueva Jersey, a cuarenta kilómetros de Nueva York, cerca de la línea ferroviaria Nueva York-Filadelfia. Se llamaba Menlo Park: un pueblecito con siete casas. «Me trasladé a Menlo Park porque tuve problemas con el alquiler del taller en Newark. Le había comunicado al casero que iba a dejar el lugar. Pagué el mes correspondiente y entregué las llaves. Pero un día recibí un documento por el que se me obligaba a pagar nueve meses de alquiler. Al parecer, según la ley, el que alquilaba una casa o un local mes a mes tenía la obligación de pagar un año entero en caso de dejarla antes de doce meses. Aquello me pareció injusto y quise marcharme de allí para siempre».

Edison rompió todos los lazos que le unían a Newark. Vendió su casa, liquidó las deudas pendientes y se llevó a Menlo Park a su equipo de lujo encabezado por Bachelor, Kruesi, Jehl, Upton y Ott. Tuvo una idea original: montar una fábrica de inventos. Era, sin duda, el primer centro investigador industrial del mundo. Por aquella época, los laboratorios no dejaban de ser puramente artesanales. Edison, un inventor práctico, inició la investigación sistemática en equipo. Y no sólo eso: también llevó la fabricación en cadena al terreno científico. Su equipo contaba con mecánicos, electricistas, químicos, físicos, matemáticos y lo que hiciera falta. Su criterio social y masivo en el campo de la ciencia aplicada hizo decir a un publicista norteamericano que «con Edison se avanzó hacia una teoría democrática que considera la utilidad de los inventos en razón del aumento de felicidad humana que proporciona».

La fábrica de los inventos tenía un aire bucólico: un prado, una colina, vacas. Tenía dos pisos, La forma era rectangular. Y el padre de Edison, Sam, se encargó de dirigir las obras. Se terminó a finales de mayo. Las paredes estaban recubiertas de madera blanca, había grandes ventanas y hasta un porche para tomar el fresco. Con el olor a pintura húmeda, empezó a llegar una caravana de carretas tiradas por caballos desde Newark. De su interior salieron cajas repletas de productos químicos, aparatos, libros, una máquina de vapor y un convertidor de gasolina para dar luz de gas.

Edison se hizo acondicionar, muy cerca del laboratorio, una granja de seis habitaciones para vivir con su familia. El equipo del inventor práctico se distribuyó entre tres casas. Algunos se hospedaron en casa de las familias del pueblecito. En un abrir y cerrar de ojos, Menlo Park había pasado de la apacibilidad rural a ser un lugar de ajetreo continuo. Edison no escondía sus intenciones: «Aquí hemos venido para inventar». Si alguien preguntaba cándidamente por el día después del invento, la respuesta era contundente: «Seguir inventando».

EN LAS ENTRAÑAS MÁGICAS

El húngaro Francis Jehl hizo un retrato perfecto del laboratorio de Menlo Park.

«Los experimentos más importantes se efectuaron en el piso superior. Era una gran sala con varias mesas grandes en las que descansaban numerosos instrumentos y aparatos científicos y químicos: lo más avanzado de la época. Todos los rincones se encontraban llenos de libros, viéndose además largas filas de elementos de bicromato de potasa y los modelos de los aparatos con que se trabajaba. no había ni una sola pared sin estanterías. Llenos de botellas, frascos y otros recipientes con las más extrañas sustancias químicas. En un extremo de la sala, cerca del órgano, había una gran caja de vidrio que contenía los metales más preciosos que se conocen y algunas sustancias químicas de elevado precio y difíciles de conseguir. Cuando por las ventanas penetraban los últimos rayos del sol, aquella sala daba la impresión de ser un auténtico laboratorio de Fausto».

«La mesa de pruebas se había colocado en la planta inferior. Se apoyaba en dos fuertes pilares de ladrillos, bien hundidos en el suelo, con objeto de eliminar todas las vibraciones, defendiendo así los sensibles instrumentos que había sobre ella, como el galvanómetro y el electrómetro de espejo reflector de Thomson y las pilas estandar con las que se ajustaban los galvanómetros. De todos los puntos del laboratorio y del taller mecánico partían hilos que se conectaban a aquella mesa. Así era posible realizar las mediciones a distancia, pues entonces carecíamos de instrumentos portátiles y de lectura directa. Frente a esa mesa instalamos nuestra cámara fotométrica, construida según el principio Bunsen. En un compartimento próximo teníamos el laboratorio químico, con hornos y cámaras de salida de los malos olores».

«El segundo departamento en importancia era el taller de máquinas, también de gran amplitud, en uno de cuyos extremos se encontraba la caldera y la máquina de vapor. Había allí tornos grandes y pequeños y máquinas de perforar y planear: todo lo preciso para la fabricación de cualquier aparato delicado o voluminoso, según lo requirieran los experimentos de Edison. El encargado del taller era Kruesi y el más hábil de sus mecánicos, John Ott. En una pequeña construcción de madera se había instalado el taller de carpintería, dirigido por Tom Logan. Muy cerca se hallaba el gasómetro. Al principio, todo el laboratorio se iluminaba con gas de gasolina y siguió empleándose aún después de la implantación de la lámpara incandescente para la fabricación de las ampollas de vidrio de esas lámparas, operación que se llevaba a cabo en otro edificio cercano al laboratorio».

«Otro lugar se destinaba a la elaboración del negro de humo, utilizando un procedimiento muy antiguo. Había allí una batería de lámparas de petróleo, con la mecha muy alta para que produjera mucho humo. Swanson era el encargado de vigilarlas. En sus recorridos nocturnos recogía de la chimenea el hollín dejado por las lámparas, que luego se pesaba en pequeñas fracciones y se prensaba hasta convertirlo en una especie de botones. Luego, envuelto en algodón en rama y metido en unas cajitas, se enviaba a Bergmann, de Nueva York, socio de Edison en la construcción de los transmisores de carbón».

NOCHES DE MAGIA

El equipo de Edison era admirable en todos los sentidos. A su fe absoluta en la inventiva asombrosa del jefe se añadía una capacidad de trabajo fuera de lo común. El núcleo central, Jehl, Kruesi, Upton y Bachelor, tenía fama de incorruptible. En un tiempo en que los espías industriales enviados por los tiburones de turno andaban sueltos se necesitaba mucho temple para encerrarse en el silencio y no permitir filtraciones que pusieran una futura patente de invención en peligro. Bachelor era un mecánico de primera. Kruesi se enorgullecía de saber hacer trabajar a los hombres. Upton se encargaba de resolver los cálculos matemáticos más complicados y Jehl no le iba a la zaga.

Un buen día Jehl se encontraba con Upton calculando algunas tablas y llegó Edison con una ampolla de vidrio en forma de pera destinada a experimentar con las lámparas. «¿Dispone de un momento para calcular su capacidad cúbica?», preguntó Edison a Upton. Éste era un gran matemático: al acabar sus estudios en Princetown, se perfeccionó en Alemania bajo la dirección del maestro Helmholtz. Manejaba las ecuaciones diferenciales e integrales con tanta precisión y velocidad que hubiera dejado asombrado al más adelantado alumno de Oxford. Dibujó exactamente la ampolla en el papel y obtuvo las ecuaciones de sus líneas para calcular su cubicación. Al rato, regresó Edison preguntando: «¿Cómo va el trabajo?». Upton le mostró sus cálculos asegurándole que enseguida los acabaría y entonces Edison le dijo: «Es muy simple. Se llena la ampolla de mercurio y se pesa éste. Teniendo el peso del mercurio y su peso específico obtendremos el resultado en breves minutos sin gastar el cerebro en tan complicados cálculos».

Las noches de Menlo Park eran especialmente mágicas. El equipo de Edison solía tener sus mejores momentos de invención por la noche. El jefe contagiaba a todos su increíble resistencia a la fatiga con evidente nocturnidad, aunque sin alevosía de ninguna clase. Marcaba el ritmo de trabajo y lo seguía hasta el final. Tampoco faltaban los descansos sagrados en los que se organizaba una mesa redonda alrededor de refrescos y comida. Una tertulia que levantaba el ánimo. Y siempre con un buen cigarro en la boca.

Palabras de Jehl: «Nunca se mostró Edison muy exigente con la comida. Pero sí lo era en materia de cigarros. No sólo le proporcionaban placer, sino también descanso. Muchas veces, mientras fumábamos después del pequeño ágape nocturno, alguien se ponía al órgano y empezaba a interpretar una canción y todos le acompañábamos a coro. Uno del grupo poseía una voz cuyo timbre era de lo más cómico. Cuando cantaba, nuestras carcajadas hacían temblar las paredes del laboratorio».

Edison trabajaba como un condenado hasta las tres o cuatro de la mañana. Al notar cansancio, no tenía reparos en tumbarse sobre una de las mesas del laboratorio y usar un montón de libros como almohada. Con una sonrisa en los labios, decía sentirse mejor que en un lecho de plumas. «Dormir ahí hace blandos a los hombres», aseguraba. Los muchachos de Edison le imitaban descaradamente. A determinadas horas, los bancos y las sillas eran el refugio de los dormilones. En caso de que alguien amenazara la paz de los sueños con sus ronquidos, se echaba mano del tranquilizador y todo volvía a la normalidad. Era una especie de carraca metida dentro de una caja de cartón sin tapa. Al ponerla en funcionamento junto al oído del inaguantable roncador, ocurría lo previsto: un susto de muerte y de golpe se acababan los ronquidos.

Upton decía: «Edison daba la impresión de admitir estas libertades en beneficio de los demás, no del suyo propio. Su resistencia física y moral era tan inagotable que nunca llegó a comprender que los demás se pudieran cansar. Trabajaba cuantas horas fueran necesarias y cuando se estiraba en la mesa o en el banco se dormía en el acto. Tenía un sueño profundo y reparador. Un día me confesó que jamás soñaba». Acaso Edison sólo soñaba despierto.

Jehl remató: «Fueron muy buenos aquellos años pasados en Menlo Park junto a Edison. Entre él y nosotros, sus ayudantes, existía una mutua y plena confianza. En ningún momento nos hizo ver que él era el patrón. Hablaba sencillamente con cada uno de nosotros. Discutíamos y podíamos exponerle nuestras opiniones: siempre en un plano de igualdad. Muchos jefezuelos deberían aprender de él para conseguir la lealtad de sus subordinados. Basta con demostrar la propia eficiencia por medio de la bondad y la amabilidad». Así de sencillo.

MARY TENÍA
UN CORDERITO

LA MÁQUINA QUE HABLA

El 12 de agosto del año 1877 apareció escrita por primera vez la palabra fonógrafo en un cuaderno de notas de Edison. Pero antes de aquella fecha, ya había realizado experimentos con un teléfono automático en el que las letras estaban constituidas por tiras de papel con relieves representando fielmente los puntos y las rayas. Al hacer pasar estas tiras bajo una palanca de contacto, ésta podía controlar los circuitos y enviar las señales a lo largo de la línea. Así se descubrió que cuando la tira se movía con mucha rapidez, la vibración de la palanca producía una nota audible. Edison pensó que si se diera a la tira de papel determinadas prominencias y depresiones, correspondientes a notas sonoras, se lograría impresionar el diafragma y como consecuencia de ello también reproducir los sonidos.

Edison utilizó un diafragma con una punta fija apoyada sobre un disco de parafina que se movía rápidamente. Y las vibraciones de la voz humana quedaron limpiamente impresas. No tuvo dudas: «Podré recoger y reproducir la voz humana a la perfección». Y así fue.

«Yo estaba experimentando un método automático
por el que los mensajes telegráficos podían ser
registrados por un disco de papel aplicado sobre una
placa giratoria idéntica que tenía una muesca en
espiral en su superficie. sobre esta placa se colocaba
el disco circular de papel. Un electroimán, cuya
punta saliente estaba unida a un brazo, corría sobre el
disco y todas las señales comunicadas por los imanes
quedaban reproducidas en relieve sobre el disco de
papel. Al quitar el disco de la máquina y colocarlo
sobre otra análoga provista de una punta formando
contacto, las señales registradas en relieve eran
repetidas en otro circuito. La rapidez ordinaria de
transmisión de los signos telegráficos era de treinta y
cinco a cuarenta palabras por minuto y con esta
máquina se podían obtener varios centenares de
palabras durante el mismo tiempo»

Los experimentos que Edison había llevado a cabo para el
perfeccionamiento del teléfono le permitieron constatar que un
diafragma tenía la propiedad de obedecer a las vibraciones del sonido. De
repente, tuvo una idea y mandó construir un pequeño juguete que tenía
un embudo. Si se hablaba en voz alta por el embudo, el juguete ponía en
marcha un resorte del diafragma que, a a su vez, al accionar sobre una
rueda del engranaje, hacía que una polea rodara continuamente. Esta
polea iba unida por una cuerda a un muñeco de cartón que representaba
a un hombre cortando madera. Cuando alguien cantaba sobre el embudo
el hombre de cartón se ponía a cortar madera.

«Mis experimentos con el teléfono me habían
permitido descubrir la propiedad de los diafragmas de
recibir las vibraciones sonoras y deduje que si
conseguía registrar debidamente sus movimientos,
lograría que tal impresión reprodujera las primeras
impresiones recogidas por el diafragma y producidas
por la voz. Así alcanzaría a reproducir la voz humana.
Sustituí el disco por una pequeña máquina que
disponía de un cilindro con una ranura helicoidal en
su superficie. Sobre el cilindro se colocaba una hoja
de papel de estaño que recibía y registraba los

movimientos del diafragma. Hice un diseño y en él
marqué el precio del aparato: dieciocho dólares.
Tenía la costumbre de indicarlo siempre. Cada
operario recibía un jornal determinado. Si las piezas
o un aparato entero salían más caros que el precio
calculado previamente, el operario recibía su jornal
íntegro. Si el trabajo lo realizaba en menos tiempo, le
pagaba un suplemento extra».

John Kruesi se preguntó con extrañeza para qué diablos serviría aquel
aparato que acababa de construir. Edison lo dejó boquiabierto: «Intento
registrar la voz humana para que la máquina la reproduzca». Kruesi se
rascó la cabeza, miró de reojo a su jefe y cerró la boca. Todos los
trabajadores del laboratorio de Menlo Park acabaron reunidos alrededor
del aparato misterioso. Se cruzaron apuestas. Más de uno ya se veía
fumando cigarros a cuenta del jefe. Cuando Edison colocó la hoja de
papel de estaño y empezó a hacer girar la manivela, se hizo un silencio
expectante. Junto al diafragama empezó a cantar: «Mary tenía un
corderito. Su lana era blanca como la nieve. A todas partes donde iba
Mary, el corderito le seguía...»

«Moví la manivela en sentido contrario hasta
alcanzar la misma posición que al principio.
Quité el tubo del primer diafragma, ajusté el otro
debidamente y volví a hacer girar la manivela.
Y la manivela reprodujo claramente mis palabras.
Todo el mundo quedó estupefacto. Kruesi, muy
pálido, murmuró en alemán: 'Dios mío'. Yo mismo
estaba tan asombrado como ellos. Pero nunca me
habían gustado las cosas que marchaban bien desde
el principio. Tenía suficiente experiencia para saber
que me quedaban por salvar muchas dificultades
antes de situar mi invento en el terreno comercial.
Sin embargo, lo que acababa de suceder ante
nuestros ojos era definitivo».

Fue una noche inolvidable. Todos se quedaron desvelados
perfeccionando y ajustando la máquina que habla. Nadie quiso perderse
la ocasión única de recitar poemas, cantar cualquier cosa, bramar de
alegría y oír el milagro de sus propias voces reproducidas. Y los cigarros

llenaron de humo el lugar de las apuestas. Una vez más, Edison había ganado.

UNA ATRACCIÓN DE FERIA

Con la máquina parlante empaquetada bajo el brazo, Edison llegó el 6 de diciembre de 1877 a la oficina del Scientific American de Nueva York. Antes había presentado la solicitud de patente de invención en la Oficina de Patentes de Estados Unidos. Sin siquiera presentarse, se acercó al escritorio de un tal señor Beach y le dijo que deseaba mostrarle algo. El pobre hombre lo miró con cara de pocos amigos. Y Edison le espetó: «Es una máquina que registra la voz humana y luego la reproduce». Beach se puso rojo como un tomate. Pero sin darle tiempo a que explotara, abrió el paquete, preparó el aparato y cantó la inevitable canción de Mary tenía un corderito. Cuando la máquina entró en acción y las palabras de Edison resonaron nítidamente, la cara de Beach se tornó lívida y la gente a su alrededor creyó asistir a un milagro divino.

«Al día siguiente todos los periódicos hablaban del fonógrafo. Pero ninguno de los que firmaban los artículos comprendía cómo podía producirse aquel fenómeno. Traté de explicárselo. Si se le comparaba con sus extraordinarios resultados, ¡era algo tan sencillo! Pero me aseguraron que jamás lo entenderían. Y acertaron plenamente. Enseguida me puse a construir aparatos mayores y de mejor calidad, que mostré a todos los que desearon verlos en Menlo Park».

Menlo Park se convirtió en una atracción de feria. Los visitantes no cesaban de llegar. El pueblecito rural tuvo que acomodarse a los nuevos tiempos. La línea ferroviaria Pennsylvannia Road montó un servicio especial para satisfacer la increíble afluencia de pasajeros. Edison no paraba de recibir invitaciones de medio mundo. Un día aceptó viajar a Washington con su fonógrafo a cuestas. Fue agasajado por todo lo alto en la residencia de la señorita Gail Hamilton: los congresistas y otras autoridades de postín se quedaron embobados ante aquel mago de la modernidad. A las once de la noche fue invitado a la Casa Blanca. El presidente Hayes quería ver en persona sus prodigios.

«Entré en la Casa Blanca y me encontré con el presidente y otras personalidades que me estaban esperando. Recuerdo que también estaba Carl Schurz tocando el piano. Realicé la demostración de mi aparato, que duró hasta las doce y media. También llegaron apresuradamente la señora Hayes y otras señoras, que habían sido convencidas de que se levantaran de la cama y se vistieran para contemplar el espectáculo».

Alguna gente creyó que el fonógrafo era un truco de magia. Un buen día se presentó todo un señor obispo en Menlo Park para comprobar la bondad del invento. Pidió ver el aparato de cerca y Edison no tuvo inconveniente en mostrárselo. Después de una revisión minuciosa, volvió a la carga con otra pregunta: «¿Puedo pronunciar unas palabras?» Edison colocó una hoja de estaño nueva y le invitó a que hablara de una vez. El obispo empezó a recitar nombres bíblicos a una velocidad pasmosa y el fonógrafo los reprodujo sin dificultad. Al oírlo, concluyó con admiración: «Es una aparato auténtico. No hay en todo Estados Unidos una sola persona capaz de pronunciar esos nombres tan rápidamente como yo lo hago».

El fonógrafo ganó en poco tiempo la fama universal. Los periodistas amarillos de turno encontraron un filón en Edison. El mismísimo *Le Figaro* de París se dejó llevar por la leyenda y el mito y publicó un artículo muy sonado: «El señor Edison ha dejado de ser él mismo para convertirse en una propiedad de la compañía telegráfica que lo tiene alojado en un suntuoso hotel de Nueva York donde le sirven y atienden como si fuera un verdadero rey. La suma de dinero que percibe de esta compañía es increíble, pues se ha comprometido a entregarle todos sus inventos. Un pequeño ejército de guardaespaldas le sigue a todas partes, a su mesa, a la calle, al laboratorio. Puede decirse que no dispone de un solo minuto para sí mismo. Carece de intimidad. Los hombres que se mueven a su alrededor intentan controlar hasta sus pensamientos».

La realidad era otra historia. Cierto que Edison se hizo muy popular. Acaso el hombre de ciencia o inventor más querido de Estados Unidos, con excepción de Benjamin Franklin. Era el símbolo de un país en progresión. La personificación del clásico sueño americano. El hombre hecho a sí mismo. El espejo donde todos se querían mirar. Los periódicos se hicieron eco de sus orígenes y del presente: de la nada al triunfo. El mito de las Américas gringas.

LOCOS POR EL FONÓGRAFO

Menlo Park se hizo pequeño para albergar a los curiosos que querían ver, oír y tocar el aparato maravilloso. Con objeto de satisfacer aquella demanda, se fundó una pequeña organización comercial para fabricar fonógrafos y explotar su exhibición. A Edison le pagaron diez mil dólares y obtuvo una cesión del veinte por ciento de los beneficios. En un abrir y cerrar de ojos, se dividió el país en departamentos y en cada uno de ellos fue enviado un agente para realizar demostraciones. El público pagaba gustosamente la entrada para contemplar el espectáculo y salía contento como unas pascuas. Al cabo de unos meses, decreció la expectación y el negocio se vino abajo.

Edison resumió las futuras aplicaciones del fonógrafo en una carta dirigida a la North American Review en 1878. «Son muchos los empleos que puede tener el fonógrafo y son los siguientes: Escritura de cartas y toda clase de dictados sin intervención de taquígrafo. Libros fonográficos de utilidad para los ciegos. Enseñanza de elocución. Reproducción de la música. Registro de frases familiares, recuerdos, etc., de los miembros de una familia, con sus voces o las últimas palabras de los moribundos. Cajas musicales y juguetes. Relojes que anuncien con palabras las horas del día, la hora de comer o recuerden la hora de acudir a ver a la persona amada. Conservación de los discursos que se pronuncien en la Cámara o, en general, de cualquier discurso por el que se pueda aprender a pronunciar debidamente. Miras educativas: registro de las explicaciones de un profesor para que el alumno pueda escucharlas posteriormente en cualquier momento. Lecciones de dicción, de reglas ortográficas que de este modo pueden grabarse más fácilmente en la memoria. Combinado con el teléfono, haría que las impresiones momentáneas se convirtieran en permanentes».

El primer fonógrafo estuvo diez años sin ser perfeccionado. En 1878, Edison volvió a la carga y se dedicó a pensar en mejorarlo para su comercialización. Así, de simple juguete maravillosos pasó a ser un aparato industrial con éxito. Las hojas de papel de estaño, que era el viejo procedimiento para grabar el sonido, fueron sustituidas por un cilindro de cera, que recibió el nombre de fonograma. Tenía la ventaja de poderse separar del aparato y ser colocado nuevamente en él sin destruir la grabación, lo que facilitaba la posibilidad de obtener varias reproducciones.

Otra innovación consistió en invertir la disposición del primer aparato haciendo que fuera el mecanismo impresor o reproductor el que se moviera, en tanto que el eje que soportaba el cilindro se mantenía fijo. También se descubrió que la inconveniencia de que una misma aguja impresionara y luego reprodujera podía evitarse, y se obtuvo después de muchos ensayos un mecanismo de impresión consistente en una herramienta cilíndrica muy pequeña y cortante son otro mecanismo de reproducción consistente en un estilete terminado en forma de bola.

Las derivaciones del fonógrafo fueron muchas. El telefonógrafo, combinación de teléfono y fonógrafo, que registraba los mensajes enviados desde larga distancia y los enviaba a otros puntos. El megáfono. El aerófono, que hacía aumentar los sonidos. El fonomotor, que transformaba las vibraciones de la voz y de la música en movimiento, utilizado para mover un aparato secundario.

VACACIONES ECLIPSADAS

Un día Edison tuvo la brillante idea de tomarse unas buenas vacaciones. Eligió un lugar llamado Rawling, en el Estado de Wyoming. Pero no pudo sacarse de encima su pasión por el trabajo. En vez de unas vacaciones como Dios manda, se embarcó en la aventura de probar uno de sus inventos, el tasímetro, durante el eclipse total de sol del 29 de julio de 1878. Fue proyectado para la medición de grados infinitesimales de temperatura y se basaba en el principio de la resistencia variable del carbón según el grado de presión que actuara sobre él. Esperaba medir la millonésima parte de un grado Farenheit.

En realidad, el profesor Langley le había propuesto que inventara algo para medir el calor del espectro solar y aquel eclipse facilitaba las cosas. Poco antes de emprender el viaje, Edison terminó el tasímetro: un simple botón de carbón colocado entre dos láminas metálicas. La corriente pasaba al botón a través de una de las láminas y del botón a la segunda lámina. Haciendo presión contra las láminas había un cilindro de goma dura. Cuando se le conectaba a una batería, los cambios de temperatura estremos hacían que se dilatara el cilindro de goma y empujara las láminas contra el botón. Entonces, la presión en el botón hacía variar la corriente y la vibración era registrada por un galvanómetro.

«Se reunieron allá astrónomos de casi todas las naciones. Disponíamos de un vagón especial en el tren que nos llevó a Rawlins. Pasamos por un territorio casi virgen donde abundaba la caza. Sobre todo, antílopes. Llegamos a nuestro destino a las cuatro de la tarde. El hotel era tan pequeño que tuvimos que acomodarnos dos en cada habitación. Me tocó por compañero a Fox, corresponsal del *New York Herald*. Cuando ya estábamos dormidos, fuimos despertados por un golpe tremendo que alguien dio en la puerta. La abrimos y allá estaba un hombre alto y apuesto, con el cabello alborotado y vistiendo el clásico atuendo de los tipos del Oeste. Tenía los ojos demasiado enrojecidos para no sospechar que estaba ebrio».

A Edison nunca se le borró aquella aparición muy propia del salvaje Oeste. El hombre no se anduvo con rodeos y dijo: «Saludos, caballeros. Me llamo Joe, Aunque también me conocen por Texas Jack. Quiero conocer a un sujeto llamado Edison, ése del que hablan tanto los periódicos». Edison y Fox se quedaron mudos de asombro y un poco alarmados. Pero no tardó en llegar el dueño del hotel, que puso orden y concierto. Texas Jack se sintió herido en su orgullo de supuesto pistolero ejemplar y proclamó a los cuatro vientos: «No estoy borracho. Acabo de regresar de la pradera con un grupo de amigos y no he tenido tiempo de beber. Se lo voy a demostrar en un momento. No hay mejor tirador que yo en todo el Oeste. Yo mismo enseñé el arte de manejar el revólver al famoso doctor Carver. Debo decir que aún el mejor tirador falla cuando va con dos copas de más. Les demostraré que no he bebido».

Del dicho al hecho. Texas Jack desenfundó el revólver, apuntó a una veleta que había en el depósito de mercancías, disparó y dio en el blanco. Su sonrisa contrastó con las caras de pánico de los huéspedes del hotel que salieron de sus habitaciones preguntando a quién diablos habían matado. «Al día siguiente nos dijeron que Texas Jack era una excelente persona. Y no tenía nada que ver con los matones de turno tan abundantes en la región. Uno de ellos estaba en la cárcel por haber asaltado un tren de la Union Pacific y haber robado a todos los pasajeros. También estaba entre rejas un mestizo cuatrero. Fuimos a visitarlos a la cárcel pero se negaron a hablar con nosotros. Más tarde, supe que a uno le condenaron a siete años y al otro lo ahorcaron. En Wyoming, los caballos andaban libres por ahí y su robo se castigaba con la pena de muerte».

Entre tanta excitación salvaje, el eclipse de sol fue algo así una bendición del cielo.

> «Instalé mi tasímetro en medio de una cerca de madera. A un lado había un gallinero. Todas las gallinas se acomodaron en su puestos para dormir, aun antes de que el eclipse alcanzara su fase máxima. De pronto, empezó a soplar un ligero viento y la atmósfera se llenó de objetos de poco peso. Una pluma se levantó casi perpendicularmente hasta lo alto de la cerca por la acción del viento. Mi aparato era demasiado sensible y era difícil ajustarlo con tanto ajetreo. No conseguí ningún resultado».

Más tarde, se descubrió que el calor de la corona solar era diez veces el máximo capaz de registrar el tasímetro, pero no quedó ninguna duda acerca de la valía del instrumento. La información recogida en el *Scientific American* lo explicaba en estos términos: «Considerando que el tasímetro es afectado por una extensión de ondulaciones etéreas mucho mayor de las que aprecia la vista humana y, en consecuencia, notablemente más sensible, se deben abrigar esperanzas de que sea capaz de conducirnos a regiones del espacio hasta ahora inalcanzables, de igual modo que lo ha hecho el telescopio con la visión natural».

Aquel eclipse solar eclipsó el sentido de unas vacaciones que, en el fondo, sirvieron para que Edison se llenara la cabeza de nuevos inventos.

HÁGASE LA LUZ ELÉCTRICA

EL ESTADO LUMINOSO

En 1804 se fundó en Londres la primera compañía de iluminación por gas. Doce años después, le tocó la luz a la ciudad norteamericana de Baltimore. A pesar de las explosiones que se producían de vez en cuando, aquel sistema de alumbrado se fue extendiendo de forma imparable. Aunque la vela de cera y la lámpara de aceite de Argand no desaparecieron del todo. Las flotas balleneras seguían obteniendo grandes beneficios y sus armadores y refinadores apenas podían sospechar que su monopolio iba a apagarse de un soplo.

Ya en 1809 Humphrey Davy realizó un experimento asombroso: con la corriente de una batería de dos mil elementos produjo un gran arco voltaico entre dos puntas de carbón que se consumían. Pero los sistemas eléctricos estaban en embrión y así permanecieron durante más de treinta años. Conocer los principios fundamentales no sirvieron de nada. Todavía no se disponía de la dinamo. La energía eléctrica producida por medio de una batería química, que consumía cinc y ácidos, resultaba excesivamente cara. En 1858, el inglés Faraday consiguió que unos rayos de intensa luz eléctrica, gracias al arco voltaico, cruzaran el estrecho de Dover desde los faros de South Foreland y Dungueness.

Después del descubrimiento del principio de inducción eléctrica de Faraday que transformó energía mecánica en energía eléctrica haciendo pasar un conductor a través de un campo magnético, no se formuló ningún nuevo principio general en relación con la teoría del electromagnetismo. Aunque la teoría electromagnética de la luz según la cual las fuerzas magnéticas y eléctricas están en función recíproca entre ellas, formulada por el físico escocés James C. Maxwell fue una notable excepción. Maxwell redujo a fórmulas matemáticas las ideas de Faraday y demostró que cada variación en las líneas de fuerza electromagnéticas equivalía a una corriente eléctrica. Concluyó que la luz es un fenómeno electromagnético y que, por tanto, la luz y las ondas electromagnéticas son de la misma especie, aunque varíe su longitud de onda.

A partir de la invención de la pila voltaica, los futuros experimentos hicieron ver que era posible producir calor al paso de una corriente eléctrica por unos hilos de platino u otro metal. Incluso a través de trozos de carbón: así se observaba que si pasaba una corriente suficiente por esos conductores se elevaban desde el color rojo hasta el blanco brillante de la incandescencia. En 1854, el americano Starr patentó dos modelos de pequeñas lámparas eléctricas incandescentes, una de ellas con un quemador de hoja de platino delgada, colocada en el interior de un vidrio sin extraer el aire y la segunda provista de una delgada capa de carbón sumergida en un vacío de Torricelli.

Con el tiempo, se mejoraron todos esos sistemas. Aunque se produjo un fracaso comercial. El quemador de carbón duraba muy poco. Se llegó a la conclusión de que el carbón contenía los elementos de su propia destrucción y que jamás serviría como quemador de una lámpara eléctrica. El platino se reveló como el mejor material. Por contra, su precio era muy elevado, no se combinaba con el oxígeno y era necesario llevarlo casi a su punto de fusión para que produjera luz. Y encima, un ligero aumento de la temperatura determinaba su destrucción. Esos fallos se achacaban al quemador y no al ambiente.

En el mundo científico reinaba la idea de que jamás se obtendría un avance significativo en el campo de la luz eléctrica y que su distribución sería imposible de alcanzar debidamente. Ya en 1876, las dinamos Wallace Farmer, fabricadas en Ansonia, en el Estado de Connecticut, se exhibieron en la Exposición del Centenario de Filadelfia. Su corriente

Thomas Alva Edison retratado en plena madurez cuando había alcanzado el éxito, gozaba del reconocimiento de la comunidad científica internacional y había llevado a cabo la mayoría de sus grandes inventos.

alimentó algunas lámparas de arco voltaico. Aquel mismo año la lámpara de arco de Jablockoff, que funcionaba con una corriente de mucha intensidad y poco voltaje, se utilizó para iluminar el bulevar de la Ópera de París. Unos meses después, Charles Brush desarrolló un tipo de dinamos capaces de proporcionar corriente continua estabilizada y consiguió el primer sistema económico de alumbrado callejero con lámpara de arco en Estados Unidos.

A MEDIA LUZ

En septiembre de 1877, Edison empezó a alumbrar la luz eléctrica. Ponía incandescente una tira de carbón al aire libre para saber cuánta corriente se necesitaba. El conductor era una tira de papel carbonizado y sus extremos estaban sujetos a unas pinzas, que eran los polos de una batería. Pero al llevarlo hasta la incandescencia, se oxidó y desintegró. Nunca arrojó la toalla. Y continuó experimentando con la misma clase de carbón: aunque lo hacía en el vacío. La primera vez que lo llevó a la práctica la tira de carbón se puso incandescente y quemó durante ocho minutos. Intentó cubrirla con polvo de vidrio para que al fundirse protegiera el carbón de la atmósfera y no se oxidara. Los resultados no fueron buenos.

Después de andar un tiempo probando sin éxito otros materiales como el boro o el cromo, Edison se tomó aquellas vacaciones con eclipse en Wyoming. El día en que vio a Texas Jack y el otro día en que tuvo que montar su tasímetro en el gallinero no se le borraron de la cabeza. Al regresar a casa, fue a visitar con unos amigos a un fabricante de bronce de Ansonia llamado Wallace que por aquel entonces experimentaba con la iluminación de arco voltaico.

«El profesor Barker, uno de los amigos que me acompañaban, insinuó que trabajara en la obtención de la distribución de la luz eléctrica. Una cosa que no era nueva para mí. Un año antes había realizado muchos experimentos sobre ello, que abandoné temporalmente para dedicarme al fonógrafo. Atesoré toda clase de información sobre el gas, estudiando su

distribución en Nueva York. Y pensé que sería
posible comercializar la distribución de la corriente
eléctrica».

Edison y sus amigos vieron algunos experimentos con la lámpara de
arco voltaico. Moisés y Wallace G. Farmer habían conseguido encender
unas quince lámparas en serie. "Era fácil ver lo que se necesitaba. La luz
era demasiado brillante y demasiado grande. Lo deseable era tener luces
pequeñas que pudieran instalarse en las viviendas como la luz de gas.
Llegué a la conclusión de que la subdivisión de la corriente eléctrica
podía ser resuelta y llevada a usos comerciales". De Ansonia, el inventor
Edison se fue con muchas ideas, una pequeña dinamo y algunas lámparas
de arco voltaico regaladas por Wallace para que iluminara su laboratorio
de Menlo Park.

«Wallace, creo que usted no va por el buen camino y
me atrevería a decirle que voy a ganar la carrera de la
luz eléctrica», aseguró Edison al despedirse de su
amable anfitrión. Aunque años más tarde el mismo
Edison le rendiría un claro homenaje: «Wallace fue
uno de los grandes genios en nuestro país en
cuestiones eléctricas. Trabajó con intensidad y
eficacia y otros han obtenido el premio. En los
primeros tiempos de la luz eléctrica, su trabajo ha
beneficiado a los demás. Y es triste que ahora se
olviden sus méritos».

Un tal Gronemor P. Lowry, procurador de la Western Union, creía
ciegamente en que muy pronto Edison conseguiría la luz deseada. Y
reuniendo un pequeño capital formó la «Compañía de la Luz Eléctrica
Edison». Entre los miembros fundadores, aparte de Edison y otros,
estaban Robert M. Gellaway, presidente del ferrocarril elevado de la
Sexta Avenida de Nueva York, y un representante de la Banca Morgan.
El objetivo de aquella compañía era manufacturar y obtener la licencia
de uso de los aparatos que produjeran luz, calor o energía por medio de
la electricidad. El inventor recibiría una paga semanal y emplearía a su
equipo de Menlo Park en la búsqueda incesante de la comercialización
de la luz.

El gran problema consistía en calentar mediante una corriente eléctrica un filamento en el interior de un recipiente de vidrio sin aire. Lo que suponía fabricar un filamento muy resistente a la corriente, efectuar el vacío en la bombilla y generar la corriente adecuada. Swan había resuelto el problema del filamento utilizando primero papel carbonizado, luego papel gelatinizado con ácido sulfúrico y por último celulosa disuelta prensada. El vacío en la bombilla se solucionó gracias a los trabajos del alemán Sprengel, inventor de una bomba capaz de realizar vacíos muy notables.

La generación de la corriente fue cosa del mismo Edison, cuya capacidad inagotable para diseñar circuitos e instalaciones le sirvió de mucho a la hora de planear la enmarañada red de cables que iluminaría toda una gran ciudad.

«La idea de la lámpara incandescente en contraposición a la de arco voltaico me bullía en la cabeza. Por ello, tomé unos finísimos alambres de platino e hice algunos experimentos que dieron buen resultado. Entonces, mezclamos en el platino un diez por ciento de iridio. Pero no pudimos forzar la corriente sin fundir la mezcla. Después proseguimos con nuevos experimentos. Llegamos a cubrir el alambre con óxido de cerio y otros cuerpos. Se me ocurrió una idea. Tomé un cilindro de circonio y lo enrollé con unos cien pies de alambre fino de platino recubierto de magnesio. Deseaba una lámpara de alta resistencia y de aquella manera obtuve una que consumió cuarenta ohmios».

Se fabricaron muchas lámparas del tipo platino-iridio. Igualmente se realizaron continuas mejoras para la obtención del vacío: Edison creía que allí estaba la clave de todo. Y se puso de acuerdo con un soplador de cristal de Filadelfia para que colocara los rollos en las bombillas, a las que se les hizo el vacío con la bomba inventada por el alemán Sprengel. La energía eléctrica se expresaba mecánicamente en caballos de fuerza o en libras por pie. Las pocas piezas de los aparatos eléctricos útiles consistían principalmente en galvanómetros, máquinas de frotamiento, botellas de Leiden, carretes de inducción, baterías húmedas y condensadores.

Un retrato de Edison en una de sus actitudes más características. El científico posa en su laboratorio, rodeado de redomas y de frascos. La imagen fue publicada en España por primera vez en el año 1913.

El problema más acuciante era el del generador. Edison necesitaba todo un nuevo sistema de energía para suministrar calor, luz y potencia eléctrica al mismo tiempo. Necesitaba dinamos de nuevo tipo, canales de distribución subterráneos, fusibles para prevenir cortocircuitos, aislantes, interruptores, reguladores, contadores para medir la corriente utilizada y una gran variedad de artilugios eléctricos Sin ello, la lámpara eléctrica nunca sería explotada comercialmente.

ENTRE DOS LUCES

Edison lo tenía más claro que el agua: el sistema eléctrico tenía que ser sencillo, ligero y barato, sin ruidos ni peligros. Pero al saltar la noticia de aquella luz, las companías de gas se echaron a temblar. El Parlamento británico intervino en el asunto al comprobar que una de ellas, la Chartered Gas de Londres, se hundía irremediablemente. Un comité de notables de la Cámara de los Comunes redactó un informe desfavorable a los intereses de la luz eléctrica. Así, se tranquilizó de forma momentánea a los empresarios de un sector que no las tenía todas consigo.

Contra viento y marea, Edison siguió adelante con sus experimentos. Dos nuevos hombres de prestigio se incorporaron a su equipo de investigadores: Francis Jehl y Francis R. Upton. Por aquel tiempo, las dinamos, utilizadas como fuente de corriente para la lámpara de arco voltaico, eran todavía muy imperfectas. El matemático Upton preparó diagramas para una nueva dinamo y calculó la cantidad de cobre que se necesitaría para encender una lámpara de una cierta resistencia a una distancia dada y con un voltaje señalado.

No faltaban los competidores. Swan y Man se disputaban la fama luminosa y alardeaban de haber derrotado al equipo de Menlo Park. Eran unos bocazas que vendían la piel del oso antes de cazarlo.

Edison recordaba aquellos días amargos en que su lámpara fue acogida sin entusiasmo. No acababa de funcionar bien y a los financieros, que ya se habían gastado cincuenta mil dólares, no les llegaba la camisa al cuerpo. Edison cortó por lo sano, se los llevó a Menlo Park y les explicó de qué iba la cosa. Así, consiguió cincuenta mil dólares más y no falló.

VER LA LUZ

Edison resumió su proyecto luminoso en varios puntos imprescindibles: un circuito paralelo, tener la luz duradera, mejorar la dinamo como medio de conseguir una fuente de energía barata, montar una red de cables subterráneos, mantener el voltaje constante para que la corriente iluminara por igual puntos distantes, conseguir fusibles y aislantes seguros e interruptores de manejo sencillo que permitieran el encendido y apagado instantáneo de las luces.

«Experimentamos con el silicio y el boro y con todo tipo de sustancias que ya he olvidado. Lo más curioso era que entonces no pensaba ni por asomo en que un filamento de carbón podía ser decisivo en el invento. Al final, determiné usarlo pues ya habíamos logrado vacíos muy perfectos y buenas condiciones para la operación».

Así, se compró hilo de algodón, fue carbonizado y empezó el primer experimento de verdad, el definitivo.

«Durante toda la noche, Bachelor y yo trabajamos sin parar y lo mismo hicimos el día y la noche siguientes. Finalmente, obtuvimos un carbón de una canilla entera de hilo de Clarke. Una vez obtenido, era necesario llevarlo al departamento del vidriero. Bachelor tomó con cuidado el carbón precioso y yo lo custodié como si se tratara de un tesoro. Nos quedamos de piedra cuando el maldito carbón se partió antes de que pudiéramos mostrárselo al vidriero. Volvimos al laboratorio y a empezar de nuevo. Obtuvimos otro carbón y volvió a romperse al caer encima un destornillador. No desesperamos. Antes del anochecer, ya teníamos el carbón metido en la lámpara».

Edison había fabricado otra lámpara con hilo conductor de algodón. El filamento, esta vez en forma de arco de herradura, había sido impregnado de carbón, colocado en el horno y finalmente fijado a una bombilla colocada en la bomba de Sprengel. Según Jehl, el inventor tomó una lámpara de alcohol y calentó la bombilla para expandir y secar el aire que quedaba en ella. Lo hizo varias veces. Después, unió uno de los hilos de la batería a uno de los terminales de la lámpara y con el otro extremo del hilo de la batería tocó por un instante el otro terminal de la lámpara. El vacío dio paso a grandes burbujas de aire en su interior. Cuando consiguió el vacío completo, selló la bombilla y conectó la lámpara con el aparato eléctrico.

Edison recordaba aquellos instantes finales: «Extrajimos el aire de la bombilla y la cerramos. Hicimos pasar la corriente y nuestros ojos se iluminaron». Edison y Bachelor parecían hipnotizados por aquel fulgor increíble del filamento. Era el 21 de octubre de 1879. Durante cuarenta y cinco horas uno y otro permanecieron frente a la lámpara maravillosa, y la sometían a voltajes cada vez más altos. Hasta que se apagó. «Si ha durado esas horas, ya sé cómo hacerla durar ciento», aseguró Edison.

El equipo de Menlo Park no se dejó llevar por el éxito y los elogios. Había que mejorar el filamento de carbón y todos se pusieron manos a la obra. Pero la luz encendió las pasiones humanas. Unos seguían en sus trece y negaban el pan y la sal a una evidencia luminosa. «Es del todo imposible lograr la distribución de la corriente eléctrica», decían los sabiondos. Hubo quien tachó a Edison de visionario. No importaba que la luz hubiera dejado de ser un invento y fuera una realidad. Los ciegos se aferraban a la oscuridad. Aunque no dejaban de ser sombras de la lámpara maravillosa.

Edison utilizó el papel carbonizado para hacer los filamentos en forma de doble herradura. Así eran las nuevas lámparas que alumbraban el laboratorio y algunas casas y calles de Menlo Park. De nuevo, el pueblo era una fiesta. Una riada de gente se precipitó sobre aquel lugar milagroso. Parecía un santuario mariano. El *New York Herald* le dedicó el 21 de diciembre una página entera a la nueva luz, a Menlo Park, a Edison y a sus muchachos. Con objeto de encauzar a las masas, se organizó una exhibición pública. La Pennsylvania Road montó un servicio de trenes especiales con destino a la tierra de promisión. Llegaron más de tres mil personas procedentes de todos los lugares. Y todos se frotaban los ojos ante aquella nueva versión del «Hágase la Luz».

LA LÁMPARA MARAVILLOSA

LOS EMBAJADORES DEL BAMBÚ

El afán perfeccionista de Edison y sus muchachos no conocía fronteras. La búsqueda del filamento ideal fue algo inenarrable. Papeles de toda clase: de seda, de dibujo, liso, saturado de alquitrán. Hilos varios: frotados con negro de humo, alquitranados, trenzados. Algodón mojado en alquitrán, mecha, bramante. Fibras vulcanizadas, celuloide, boj, corteza de nuez de coco. Virutas de abeto, de nogal, de cedro. Tela de saco, lino, hierbas, plantas, juncos. Unas seis mil especies de plantas pasaron por el laboratorio de Menlo Park. Incluso un pelo de la barba roja de Mackenzie.

Un día, a comienzos de 1880, Edison encontró en una mesa un abanico de hoja de palma. Lo examinó con cuidado y se percató de que era de bambú. Hizo deshacerlo en filamentos delgados y los carbonizó. Eureka. Ahí estaba la fibra más buscada. Edison dio la orden de viajar a las regiones tropicales para conseguir el mejor bambú.

A William H. Moore de Nueva Jersey le tocó el honor de ser el primer hombre enviado por el inventor a la búsqueda del bambú. En el verano de 1880, salió de Nueva York en dirección a China y Japón. Desde aquellos lejanos países envió las muestras de la fibra a Menlo Park. Edison las estudió detenidamente y concluyó que el bambú japonés era el mejor. Pero no se conformó. Al saber que John C. Braumer de Brooklyn había sido encargado en otro tiempo por el gobierno de Brasil para realizar un estudio geológico en el que no dejó de examinar varias especies de palmeras, se puso en contacto con él. Su oferta era toda una aventura ante la que aquel hombre apenas se resistió. En diciembre de 1880, Braumer partió hacia el país brasileño y recogió una extraordinaria variedad de fibras. Aunque ni una de ellas era superior al bambú japonés.

Edison quiso seguir tentando a la suerte. Y envió nuevos viajeros a tierras lejanas. Una expedición en toda la regla recorrió de cabo a rabo las islas caribeñas de Cuba y Jamaica. Tres hombres curtidos en aventuras imposibles estuvieron varios meses en la zona pantanosa de Florida buscando una madera fibrosa de la especie del palmito. Frank McGowan y C. F Harrington anduvieron por el Amazonas y se separaron en el pueblo peruano de Iquitos. Harrington se dedicó a explorar Uruguay, Argentina y Paraguay, y McGowan viajó por Perú, Ecuador y Colombia. Nada dio resultado. La mejor fibra seguía siendo el bambú japonés.

James Ricalton de Nueva Jersey, maestro, aficionado a las ciencias naturales y viajero empedernido, fue el último buscador de fibras. «Nunca olvidaré el momento en que llamaron a la puerta de mi casa y al abrirla me encontré frente a un mensajero del laboratorio del más grande y famoso de los inventores. Me entregó una carta en la que se decía que Edison deseaba entrevistarse conmigo lo más pronto posible. Desconocía el motivo de su interés pero me sentí muy honrado por el hecho de que lo tuviera. Me apresuré a ir a Menlo Park y Edison me dijo: 'Necesito a un hombre que recorra todas las selvas tropicales de Oriente. Ando buscando un mejor tipo de fibra para mi lámpara y pienso que se encuentra entre la familia de las palmeras o de los bambúes. ¿Puede ayudarme?' No dudé ni un momento. Le contesté que no había inconveniente alguno».

El maestro Ricalton solicitó el permiso del Ministerio de Instrucción Pública y lo obtuvo rápidamente. Al día siguiente de la entrevista, Edison lo condujo a su laboratorio para que se familiarizara con los detalles de la preparación y carbonización de las fibras. Poco después, lo llevó a la biblioteca. Allá se dedicó al estudio acelerado de la geografía oriental y, especialmente, a ver los mapas de los afluentes del Ganges. Un día, el inventor le dijo: «Si va a mi casa y mira detrás del sillón de la biblioteca, encontrará un nudo de bambú. Es la muestra de una especie descubierta en Sudamérica. Si da con algo parecido, su viaje habrá tenido éxito».

Cuando Ricalton entró en casa de Edison preguntando a su criada irlandesa por el pedazo de bambú fue recibido con una mueca de sorpresa. Luego la criada metió la mano en la parte anterior del sofá y sacó el preciado tesoro. «¿A esto se refiere?», preguntó como si al pobre Ricalton le faltara un tornillo. Ante su respuesta afirmativa, volvió a preguntar: «¿Quiere usted decir que el señor va a inventar una cosa como ésta?»

Edison se hizo cargo personalmente de un seguro de vida para Ricalton y le entregó un buen montón de dinero para los gastos de viaje.

«Me embarqué para Inglaterra y de ahí al canal de Suez. Me dirigí a Ceilán donde abundan los bambúes. Recorrí por entero la isla y ofrecí premios a los nativos por cada especie nueva de bambú que me llevaran. En Ceilán y Birmania encontré uno de los mejores ejemplares: un bambú conocido como Gigante o Bambusa gigantia. De Ceilán pasé a la India, a China, a Japón. Y regresé al cabo de un año de viaje. Me presenté a Edison. Con su habitual manera de abordar los asuntos me preguntó si había encontrado la fibra deseada. Le contesté que sí. Y me dijo que ya había conseguido producir un carbón artificial que satisfacía todas las exigencias. En consecuencia, creo que jamás volvieron a utilizarse las fibras de bambú».

PATENTE DE LUZ

En enero de 1880 Edison presentó su solicitud de patente de invención por un Sistema de Distribución Eléctrica. El texto del documento decía así: «Conste que yo, Thomas Alva Edison de Menlo Park, Nueva Jersey, Estados Unidos de Norteamérica, he inventado y perfeccionado en las lámparas eléctricas y en el método para fabricarlas lo que a continuación se especifica: el objeto de este invento es producir lámparas que luzcan por incandescencia, las cuales tendrán alta resistencia, de modo que permitan la subdivisión práctica de la luz eléctrica»

«La invención consiste en un cuerpo de carbón, que luce, arrollado como alambre, de manera que ofrezca gran resistencia al paso de la corriente eléctrica y al mismo tiempo presente muy escasa superficie de radiación. La invención consiste, además, en colocar tal luz de gran resistencia en un vacío casi perfecto para impedir la oxidación y desperfecto del conductor debidos a la acción de la atmósfera. Así es conducida por la corriente dentro de un vacío en una perilla por alambres de platino encerrados dentro del cristal. Comprende también un método de fabricar conductores de carbón de alta resistencia, de modo que sean aptos para la producción de luz por incandescencia».

«Hasta aquí, la luz por incandescencia se ha obtenido por varitas de carbón de uno a cuatro ohmios de resistencia y puestas dentro de vasos cerrados en cuyo interior el aire atmosférico es reemplazado por gases que no se combinan químicamente. Los alambres conductores han sido siempre gruesos, de modo que su resistencia es siempre muy inferior a la de la luz y, en general, los intentos de los que anteriormente trabajaron en la materia fueron solamente encaminados a reducir la resistencia de la varita de carbón. Las desventajas de esta práctica son básicamente tres. Primero, una lámpara de uno a cuatro ohmios de resistencia no puede emplearse en gran número en arco múltiple sin el empleo de conductores primarios de enormes dimensiones. Segundo, debido a la baja resistencia de la lámpara, los alambres deben ser de grandes tamaños y buenos conductores. Tercero, un globo de cristal no puede cerrarse bien en el lugar donde los alambres pasan y se aseguran. De ahí que el carbón se consuma, pues para que éste sea estable es preciso un vacío perfecto, especialmente cuando su masa es pequeña y su resistencia eléctrica muy grande».

«El uso del gas en el recipiente a la presión atmosférica, aunque no ataca el carbón, lo destruye con el tiempo. A causa del arrastre o el desgaste producidos por el paso rápido del gas sobre la poco coherente y altamente calentada superficie del carbón. Yo he abolido esta práctica. He descubierto que

incleso el algodón en hilos perfectamente
carbonizados y puestos en un recipiente cristalino en
el que se ha hecho el vacío hasta una millonésima de
atmósfera, ofrece de cien a quinientos ohmios de
resistencia al paso de la corriente y que es
absolutamente estable a muy altas temperaturas».
«Si el hilo de algodón se enrolla en espiral y se
carboniza o si alguna fibra de otra sustancia vegetal
que tenga un residuo de carbón se carboniza después
de enrollada y se coloca en una cámara cerrada, se
pueden obtener hasta dos mil ohmios de resistencia
sin una superficie de radiación mayor de tres
decimisextos de pulgada. He carbonizado y probado
hebras de algodón e hilo, astillas de madera,
plombagina y carbón en varias formas mezclado con
alquitrán y cilindrado en alambre de varias longitudes
y diámetros».

Con esta patente, Edison acallaba las voces de protesta de gente como
el inglés Swan que anunciaba que quince años antes ya había usado cartón
carbonizado en la lámpara eléctrica.

El primer pedido de una instalación completa de alumbrado eléctrico
llegó enseguida, en el mismo año de 1880. Era para un buque de vapor de
tres mil doscientas toneladas del financiero Henry Villard llamado
Columbia, que se estaba construyendo para transportar carga a lo largo de
la costa del Pacífico. En la práctica, el invento de Edison se reveló muy
eficaz. Con cuatro dinamos en la sala de máquinas, las lámparas y los
generadores trabajaron a la perfección. La iluminación consistía en un
circuito múltiple de ciento quince lámparas con filamento de papel
carbonizado. El Columbia zarpó de la bahía de Delaware en mayo de 1880
y realizó una ruta alrededor del cabo de Hornos hasta alcanzar la costa
norteamericana del Pacífico. El primer ensayo comercial de una planta
eléctrica aislada no tuvo ni un solo fallo.

También en 1880 Edison solicitó otras patentes referidas a la
distribución eléctrica. La más famosa de todas ellas era la Alimentadora.
Su misión: evitar la disminución de la presión con la consiguiente baja de
la fuerza iluminadora en las zonas del circuito situadas a gran distancia de
la estación central. De las setenta patentes solicitadas por el inventor en

el transcurso de aquel solo año, treinta y dos estaban relacionadas con las lámparas incandescentes.

Con muchos otros inventos, Edison no consideró oportuno solicitar patente. Y dos años más tarde, fue víctima de un agente de patentes que trabajaba a su servicio. Era la época en que estaba desarrollando su sistema de iluminación eléctrica. Y llegó a perder setenta y ocho inventos a pesar de haber firmado y jurado las correspondientes solicitudes. En vez de seguir el curso normal, el agente se encargó de que siguieran el curso de su propio beneficio.

«Transcurría el tiempo sin que la Oficina de Patentes me pasara comunicación alguna. Sin embargo, nada sospeché hasta que en la Gaceta de esa Oficina leí la referencia de mis inventos a nombre de extraños. Mandé que se realizara una investigación y descubrí que el agente no sólo había cobrado de la compañía los derechos correspondientes a esas patentes, sino también vendido los inventos a otras personas, las cuales los registraron a su nombre. Más tarde, averigué también que aquel sujeto había actuado con la misma falta de honradez en un asunto relacionado con las patentes de teléfonos».

«Naturalmente, la pérdida de aquellas setenta y ocho patentes me causó un pesar que todavía no he olvidado. Eran inventos en los que había empleado muchas horas de esfuerzo y los consideraba muy importantes. Uno de ellos era el de la dinamo multipolar, una mejora de otro invento mío patentado con el número 219.393, con un inducido anular. A nada conduce ya revelar el nombre de aquel agente. Supongo que ha muerto. Pero habrá dejado hijos. Además, el incidente pertenece al pasado de la Compañía Edison».

La patente perdida del sistema trifilar se refería a la innovación de emplear conductores de tres hilos con lo que podía reducirse su diámetro y, por consiguiente, su peso y asegurar un funcionamiento más perfecto.

Sin este invento y sin el de la Alimentadora la luz eléctrica jamás hubiera podido ser vendida a unos precios competitivos.

EDISON A LA LUZ DE UN INGLÉS

El inglés Samuel Insull hizo un retrato inolvidable de Thomas Alva Edison que no queremos dejar de reseñar aquí, por su carácter de apunte en manos de un buen conocedor de su personalidad.

«Conocí a Edison el 1 de marzo de 1881. Al llegar a Nueva York me dirigí a la Quinta Avenida. Iba a ocupar el cargo de secretario particular de Edison, gracias a la intervención de E. H. Johnson. Ya funcionaban las oficinas de la Edison Electric Light Company y el propio Edison se encontraba en la ciudad para atender el negocio. Esas oficinas se componían de tres salas. La primera se destinaba a las visitas. La segunda era el despacho del Presidente. La última el despacho de Edison. Allí le vi por primera vez. Había dos sencillas mesas de escritorio y poco más. Me recibió son suma cordialidad. Aunque sospecho que quedó defraudado al verme tan joven. Yo tenía veinte años. Recuerdo que Johnson, su representante en Londres, me había dicho que iba a entrevistarme con el inventor más grande del mundo en materia de electricidad».

«Yo llevaba de Inglaterra un concepto clásico acerca del modo de vestir de un hombre importante. Por eso me quedé asombrado al ver la ropa que usaba Edison. Vestía un traje muy corriente, oscuro, y un pañuelo de seda alrededor de su cuello cuyo nudo caía con descuido sobre una camisa que no era nueva. Tenía el pelo alborotado y algunos mechones tapaban su frente. Su rostro y su cuerpo no eran delgados. Me sentí admirado por su expresión inteligente. Sus ojos despedían un brillo inolvidable. En resumen, nunca imaginé encontrarme con una persona tan sencilla y con un aspecto tan descuidado».

«Una hora después ya estaba metido de lleno en los negocios de Edison. Johnson se iba a embarcar a la mañana siguiente y me había dicho que nuestro jefe tenía pensado pasar la noche conversando acerca de los negocios en Europa. Y esperaba que yo le informara de todo. Edison sacó de su escritorio un talonario de cheques para saber cuánto dinero le quedaba en el banco. Quiso saber qué valores telefónicos europeos ofrecían mayores posibilidades, pues necesitaba dinero para regular el funcionamiento de la fábrica de lámparas, los talleres del Electric Tube y los que crearía para la fabricación de dinamos. Me impresionó su infinita gama de recursos y su rápido entendimiento de los problemas».

«Al referirse a sus trabajos sobre la iluminación, lo hizo con el entusiasmo de un joven. Le obsesionaba la obtención de dinero para emplearlo en la fabricación. Entonces recordé que en Londres se dudaba mucho de que Edison alcanzara éxito en sus propósitos. Incluso se decía que sus realizaciones no podían llamarse propiamente inventos. En aquella mi primera noche a las órdenes de Edison me sentí subyugado por su fuerte personalidad»

«Aquella misma noche visité por primera vez Menlo Park. Hasta el momento, apenas había visto lámparas eléctricas incandescentes. Johnson, en plan expositivo, poseía algunas en Londres, alimentadas por baterías rudimentarias. Pero en Menlo Park vi la primera central eléctrica. Todavía se utilizaba el sistema de dos hilos, pues entonces no se había pensado en el de tres. Había lámparas de filamento de papel de carbón y de filamento de bambú. Aquella industria de iluminación eléctrica me produjo una impresión imborrable. Siempre se considerará a Menlo Park como el lugar donde nació la luz eléctrica. Sólo allá se podía contemplar un sistema de distribución para la luz eléctrica y la maquinaria para proporcionarle energía».

«A eso de las diez de aquella misma noche fui a ver al jefe de estación de Menlo Park, que también era telegrafista, y le entregué algunos mensajes para que los enviara. A través de ellos anunciaba a unos amigos que había visto funcionar el sistema de iluminación eléctrica de Edison. Les manifestaba que el éxito era rotundo. 'Es lamentable que te hayas quedado tan pronto subyugado por ese inventor yanqui', me contestó semanas más tarde uno de aquellos amigos de Londres».

A LA CONQUISTA DE EUROPA

En la primera Exposición Eléctrica celebrada en el mundo, en París, Edison presentó la mayor dinamo construida hasta entonces. Corría el verano de 1881. Producía corriente para mil doscientas lámparas eléctricas. Pesaba veintisiete toneladas, incluida la máquina de vapor, y su inducido era de seis toneladas. Una maravilla. Aunque costó lo suyo antes de embarcarla para Europa. Al concluir la construcción de la dinamo, se descubrió que el voltaje era muy bajo. Se aumentaron los electroimanes. Pero en el transcurso de una prueba se rompió el cigüeñal de la máquina de vapor: fue algo así como si volara un obús. No pasó nada grave. Y, finalmente, todo se resolvió satisfactoriamente. El siguiente problema era el transporte. La policía acordonó las calles más frecuentadas y con su ayuda se pudo llegar al puerto. El embalaje quedó listo cuatro horas antes de la salida del barco. Unos sesenta hombres se encargaron del traslado. Se utilizaron camiones tirados por caballos. Fue un día increíble.

En París, Edison concurrió a la Exposición con otros inventores rivales como Swan, Maxim y Lane-Fox. El 21 de octubre se entregó la lista de premios en el Conservatorio de Música y obtuvo la máxima distinción: el Diploma de Honor. Por fin, Europa se rendía ante la inventiva del mago de Menlo Park. El alemán Emil Rathenau lo vio claro desde un principio: compró rápidamente la patente del sistema eléctrico para su país y formó su propia compañía, que luego se llamaría AEG, una de las más importantes del mundo. El profesor George F. Barker le envió un telegrama de felicitación: «Se ha colocado usted a la cabeza de todos sus rivales. Nadie en su categoría había recibido de esta Exposición un honor semejante».

El mundo científico, en su mayoría, ya no opuso resistencia a Edison. Todo eran palabras de elogio. Du Moncel manifestó públicamente:

«Cuando en 1879, Edison lanzó su nueva lámpara eléctrica incandescente muchos científicos, y yo en particular, pensamos que desde América nos tomaban el pelo con una patraña. Nos negábamos a creer que aquella herradura de papel carbonizado fuera capaz de resistir la incandescencia por mucho tiempo. Pero Edison no se dejó llevar por el desaliento ante nuestras críticas y continuó su camino hasta lograr las lámparas que ahora vemos en la Exposición, obras maestras en su género».

La Sociedad Edison Continental no tardó en fundarse en París para explotar las patentes de Edison en Europa. En Londres, las cosas seguían por el mismo camino. Johnson, el enviado especial de Edison, era un experto y un seductor. Un periódico inglés llegó a escribir: «Sólo hay un Edison y Johnson es su profeta». La primera dinamo, que recibió el nombre de Jumbo, se instaló en la capital francesa. La segunda y la tercera en Londres. Así, compartieron con Menlo Park el honor de ser las primeras centrales del mundo en el suministro de corriente eléctrica para lámparas incandescendentes. Las calles y los puentes de Holborn Viaduct tenían un sistema de alumbrado eléctrico de tres mil luces, montado por Johnson y Hammer, que se encendía y apagaba desde una estación central.

La primera iglesia del mundo iluminada por Edison fue el City Temple londinense del reverendo Joseph Parker. «Nunca se me olvidará la expresión estupefacta de Parker y de sus amigos al advertir la diferencia de temperatura de la electricidad con respecto a la del gas», refirió Hammer. Lo cierto es que Parker se frotaba las manos de contento. Al parecer, los fieles no ponían los pies en la iglesia durante los días calurosos del verano. La luz de gas daba un calor insoportable. Con las lámparas eléctricas, volvió a llenarse la iglesia.

EL PODER DE LA LUZ

UNA FÁBRICA DE LÁMPARAS

No todo fue un camino de rosas. La poderosa industria del gas no quería entregarse a la luz eléctrica así como así. Fueron tiempos duros. Edison instaló una fábrica de lámparas en Menlo Park y puso a Upton como jefe: nueva maquinaria, nuevos hombres y mujeres y nuevos problemas. Hubo que adiestrar al personal: empezar de cero.

> «Al ver que la Edison Light Company no se decidía a iniciar el proceso de fabricación, montamos una pequeña fábrica de lámparas en Menlo Park con el dinero ganado en otros inventos. Entonces, el precio de fábrica de cada lámpara era de un dólar y veinticinco centavos. Le hice una propuesta a la Compañía: 'Ustedes me firman un contrato por todo el tiempo de vigencia de las patentes y yo me comprometo a fabricar cuantas lámparas precisen'. Al preguntarme por el precio, respondí que costaban cuarenta centavos la unidad. Aquí estaba mi triunfo. Ellos se apresuraron a firmar el contrato. Durante el primer año, producir una lámpara nos costaba un

dolar y diez centavos. Se hicieron unas veinticinco
mil. Un año después seguíamos vendiéndolas al
mismo precio. Pero el precio de fábrica ya había
bajado a setenta centavos. Como la producción fue
mayor, se acentuaron las pérdidas. En el tercer año
disponía de más maquinaria y había cambiado el
sistema de fabricación. Reduje el coste a cincuenta
centavos. Como seguíamos vendiéndolas al precio
inicial y la demanda aumentó de forma considerable,
aquel año perdimos más que en los anteriores. En el
cuarto año, conseguí rebajar el coste a treinta y siete
centavos, recuperando el dinero perdido en los años
anteriores. Poco después, el coste era de veintidós
centavos, manteniéndose el precio de venta de
cuarenta centavos. En ese tiempo ya fabricábamos
millones de lámparas. Entonces, la gente de Wall
Street estimó que el negocio era rentable y lo
compró».

«Una de las causas del abaratamiento de las lámparas
radicó en la delicada operación del cierre que lleva el
filamento en el interior del globo. Un obrero
necesitaba varios meses de práctica antes de poder
cerrar en un día un número adecuado de piezas.
Llegamos a tener ochenta expertos dedicados a esa
operación. Convencidos de su propia importancia, de
lo imprescindibles que eran para nosotros, adoptaron
una actitud descarada. Por sus malas contestaciones y
desobediencia, fue preciso despedir al hijo de uno de
ellos. Los expertos nos amenazaron con abandonar
en bloque el trabajo si no readmitíamos al
muchacho».

El gerente estaba consternado. Los trabajadores tenían la sartén por el
mango. Al menos, eso creían. Edison empezó a dar vueltas a la posibilidad de
que aquel trabajo se realizara con ayuda de máquinas. Así, encargó a unos
hombres de su entera confianza la construcción de una máquina de prueba,
que funcionó perfectamente. Luego se hicieron algunas más. Al comprobar
que gente sin experiencia podía manejarlas correctamente y hacer en una
hora el montaje especial de las lámparas, el inventor pasó a la ofensiva.

«Fabricamos en secreto treinta máquinas más
ocultándolas en el piso superior y por las noches
procedíamos a su montaje en los bancos. Entonces ya
pudimos despedir definitivamente al muchacho. Y
los expertos cumplieron su palabra. Pensando que no
tardaríamos en llamarles. Aunque todavía deben
estar esperando nuestra llamada. Con las máquinas,
el coste de producción bajó mucho».

En la fábrica de lámparas dividieron el capital en cien acciones a
cien dólares cada una. Uno de los accionistas vendió dos acciones y un
tal Robert L. Cutting se hizo con ellas. En aquella época cada sábado se
repartían dividendos. El nuevo accionista, al enterarse de la distribución
de ganancias, montó en cólera: «¿Qué clase de fábrica es esa que paga a
sus accionistas todos los fines de semana?» Otro día, un importador
chino se presentó en la fábrica y le pidió a Edison si podía hacerle una
dinamo accionada a mano. Ante la cara de sorpresa del inventor, aclaró:
«En China la mano de obra es más barata que la fuerza de vapor».

CON LAS LÁMPARAS A NUEVA YORK

A principios de 1881, la Edison Electric Light Company alquiló una
soberbia mansión en la Quinta Avenida de Nueva York con objeto de
establecer en ella su central y una exposición. La casa reunía
inmejorables condiciones por la extensión de sus salas y la altura de sus
techos. Edison y sus colaboradores de Menlo Park instalaron en seguida
en la planta baja una pequeña estación generadora, se cubrió de hilos
toda la casa y se utilizaron los aparatos del sistema construidos por ellos
mismos.

«Cuando nos instalamos en Nueva York resolvimos
alumbrarnos con nuestro sistema. Así, montamos en
la cueva un motor de gas. En cierta ocasión el motor
dejó de funcionar y fui con el encargado a ver qué le
sucedía. Lo examiné con cuidado y finalmente abrí el
pedestal. Como llevábamos una lámpara descubierta,
se originó una formidable explosión, que abrió
puertas y ventanas y nos hizo rodar por el suelo».

Por espacio de cuatro o cinco años, aquel edificio número 65 de la Quinta Avenida fue escenario de tanta actividad como Menlo Park. Como en el laboratorio, se vivía con absoluto desprecio del reloj. Comprendió Edison que entonces le convenía actuar como un hombre de negocios al uso y abandonó momentáneamente sus experimentos en el laboratorio. La gran razón era que deseaba preparar cuidadosamente el proyecto de alumbrar Nueva York. Y tan ambiciosa idea requería un atento proceso de ambientación.

En el número 65 de la Quinta Avenida se trabajaba de día y de noche, pues la mansión estaba abierta al público hasta horas muy avanzadas. Era inmensa la afluencia de visitantes. Edison añoraba Menlo Park, si bien comprendía que a aquel apartado rincón sólo habrían acudido los curiosos o los negociantes y se necesitaba hacer una propaganda dirigida a un sector mucho más amplio de público. Pocos eran los que salían de la exposición del número 65 sin haber encargado una instalación. El visitante se quedaba asombrado al contemplar una de aquellas lámparas incandescentes que seguía ardiendo en cualquier posición que se la colocase, que era posible tocarla con la mano por el poco calor que desprendía, que gozaba de una gran seguridad contra los incendios, que no enrarecía la atmósfera ni precisaba de ningún fósforo para el encendido, que se podía encender y apagar a distancia... Cuando veía todo eso, deseaba tener una instalación semejante.

Era admirable la camaradería que imperaba en el equipo Edison: todos tenían fe ciega en su jefe y trabajaban por una causa común. Con la marcha del último visitante, el grupo se dirigía, a altas horas de la madrugada, a tomar un bocado en un local próximo, en medio de la mayor cordialidad y confianza.

«En Nueva York yo acostumbraba tener una caja de cigarros en mi escritorio. Tomaba cuatro o cinco cada día, pero mis compañeros, en cuanto me veían fumando, acudían también a la caja, de modo que ésta se vaciaba en poco más de un día. Hablaba cierto día sobre ello con un caballero inglés. Y me aconsejó que colocara una cerradura en el cajón. Yo le repliqué que ellos la forzarían sin problemas. A lo que dijo: 'Bien, en ese caso, hablaré con un amigo mío de la Octava Avenida, que fabrica excelentes cigarros, y les prepararé un escarmiento. Le pediré que haga algunos cigarros con cabello y papel, y luego los colocaré en una caja en su cajón del escritorio'. No volví a acordarme de aquel asunto Hasta que dos meses después apareció por la casa el caballero inglés y me preguntó por la historia de los cigarros. Confesé mi ignorancia al respecto. Más tarde, supe que, efectivamente, se recibió aquella caja de cigarros y fue puesta en mi mesa. Pero yo me había fumado todo su contenido. En realidad, siempre estaba demasiado ocupado para advertir una nimiedad así».

SAMUEL INSULL LO VIO ASÍ

El secretario de Edison, Samuel Insull nos ha dejado un relevante testimonio sobre el inventor. Dice así:

«En aquella época me dedicaba a cumplir cuidadosamente todos los encargos de Edison, que comprendían desde la adquisición de su ropa hasta la realización de estudios financieros sobre sus negocios. Tenía facultad para abrir su correspondencia y de contestarla, e incluso firmaba a vaces con la «E», inicial de su nombre, o también con mi nombre, indicando en este caso que era su secretario particular. Poseía poderes notariales y firmaba sus cheques».

«Por lo general, Edison no firmaba entonces ni cheques ni cartas. Si necesitaba enviar algo personal, lo escribía rápidamente a lápiz sobre un papel y firmaba Edison. Si deseaba que yo contestase alguna carta que él había leído, colocaba al margen la escueta indicación Si o No, y esa era la única indicación con que yo podía contar. Sin embargo, en ocasiones realizaba abundantes anotaciones en los documentos importantes, contratos u hojas de balance, por ejemplo, aunque excusándose de no ser experto en tales materias. Pero sus indicaciones estaban siempre llenas de agudeza».

«La mayor parte de correspondencia que recibíamos se refería a la iluminación eléctrica: solicitando catálogos, precios, condiciones y proposiciones de venta de derechos territoriales. También se recibían ofertas de elevadas cantidades de dinero, que si la Compañía las hubiese aceptado, habría reunido en poco tiempo varios millones de dólares. No se dirigían por ahí las intenciones de Edison. En primer lugar, deseaba asegurarse del verdadero valor comercial del sistema con el objetivo inmediato de conceder licencias para fundar compañías de estaciones centrales en los grandes núcleos de población, a las que la Compañía madre aportaría un tanto por ciento del capital, al mismo tiempo que se contrataba la venta de aparatos, lámparas, etc. El tiempo demostró que este mecanismo daba excelentes resultados, tanto técnicos como económicos»

«Siempre fue Edison partidario de una central distribuidora de la corriente eléctrica. Pero llovieron sobre él tantas solicitudes para la instalación de centralitas aisladas, que se estimó oportuno concederlas, pensando que así se incrementaría de manera notable el pedido de materiales y las nuevas fábricas de Edison prosperarían. Esas centralitas se iban a emplear en la iluminación de fábricas, hoteles, minas, etc., y serían manejadas por los propios dueños. Fue tanto el trabajo que hubo que atender, que se creó una sociedad independiente, la «Edison Company for Isolated Lighting», con la misión de vender centrales aisladas. La «Edison Electric Light Company» seguiría siendo la Compañía madre, en posesión de las patentes y la que otorgaría las licencias»

«Durante aquella época Edison conoció a Christian Herter, considerado como el mejor decorador del país. Era muy inteligente, de gustos refinadoss, y a Edison le agradaba mucho conversar con él. Solía criticar a la gente rica por su mal gusto. Cierto día, el señor W.H. Vanderbilt se presentó en el 65 de la Quinta Avenida a ver la exposición, decidiendo instalarla en su nueva casa, una de las principales de la Quinta Avenida, decorada, precisamente, por Herter. La instalación de luz estuvo concluida antes de que la casa pudiese ser habitada, y se realizó una exhibición. Se encendieron las lámparas a las ocho de la noche, en presencia del señor Vanderbilt, su esposa y sus hijas. De pronto, aparecieron unas llamas en el tapiz de seda que cubría la galería de pinturas. Este tapiz llevaba entretejido un pequeño hilo metálico. Y resultó que dos hilos eléctricos se cruzaron con él y lo pusieron al rojo vivo, incendiándose el tejido. Edison ordenó cortar inmediatamente la luz, y el fuego se apagó en seguida.

«–¿Cómo ha podido suceder esto? –preguntó la señora Vanderbilt.
«–La maquinaria se ha instalado en el sótano, le explicó Edison.
«–¿Incluye esa maquinaria una caldera? –quiso saber con alarma la señora Vanderbilt.
«–Sí, pero allí no ofrece ningún peligro –le aseguró Edison.
«–¡No seré yo quien viva encima de una caldera!, exclamó la dama.»

«Fue preciso retirar la instalación. Pero el sistema Edison fue adoptado después por todas las casas ricas. Durante cierto tiempo fue Goerck Street el centro de la fabricación de toda la maquinaria pesada. Edison visitaba frecuentemente esos talleres por la noche, acompañado por un detective particular, Jim Russell, tipo muy popular en aquella zona».

El propio Edison, según Insull, contaba lo siguiente:

«Por la noche acudíamos a un establecimiento que
nunca cerraba, y tan reducido, que apenas mediría
ocho por veintidós pies de superficie. Allí podía
comerse algo a las tres de la madrugada, única virtud
que poseía el local. Nunca he vuelto a entrar en una
casa de comidas como aquélla. Para las conchas
rellenas que servía solamente utilizaba cuatro
conchas en todo el año; también nos fijamos en las
moscas, y las contamos, descubriendo que
correspondían siete a cada pastel, sacando un
promedio. Era un barrio de casas viejas y humildes.
Al aumentar el negocio, nuestros talleres se hicieron
pequeños, y tuve que recurrir al jefe de distrito de
Tammany para preguntarle si nos permitía dejar en
las aceras las piezas de fundición y otras cosas de
bulto. El hombre accedió con una sola condición:
debíamos contratar a la gente que él nos enviara».

«Accedimos, naturalmente. El encargado de los
peones era un tal Big Jim, un gigantesco irlandés de
músculos poderosos, capaz de levantar media
tonelada. Cuando el jefe de distrito nos envió su
primer hombre solicitando empleo, le admitimos.
Pero en seguida se le ordenó que alzara cierta pieza,
que Big Jim podía manejar como una pluma. El
hombre del jefe de distrito no pudo y fue despedido.
Fue el procedimiento que empleamos para
deshacernos de todos cuantos nos envió después.
Hasta que un día nos denunció, porque, en realidad,
creo que estábamos abusando de su paciencia:
trabajábamos con grandes tornos en plena calle,
pasando las correas de transmisión por las ventanas.»

POR CAMINOS SUBTERRÁNEOS

Edison tuvo que vencer muchas dificultades antes de conseguir instalar
una estación central, la primera. Esto acaeció en Nueva York en 1882.
En principio, pensó asentarla en la isla de Manhattan, cubriendo el
distrito que se extiende desde Canal Street hasta Wall Street. Pero

pronto comprendió que era demasiado amplio para un primer experimento, y eligió el distrito que incluía las calles de Wall, Nassau, Spruce y Ferry, Peck Slip y el East River, con una superficie de una milla cuadrada. Dividió la zona en varios subdistritos y envió investigadores para que le informasen de los mecheros de gas que ardían por ahora, tanto en las calles como en viviendas, del número de horas que ardían y del coste de la iluminación.

Entre los años 1878 y 1880 Edison llenó de anotaciones infinidad de libros, realizando cálculos con la ayuda de su matemático, el seños Upton. Averiguó el diámetro de los conductores que necesitaba cada manzana de casas, descubriendo que los conductores principales necesitarían tanto cobre que los haría excesivamente costosos. Pero su espíritu cobraba ánimos ante las dificultades, y no tardó en resolver el problema con el ya mencionado Alimentador. Se volvieron a calcular los conductores y se dibujaron mapas enormes, sobre los cuales se basó la futura instalación.

Vio Edison desde un principio que el mejor procedimiento era el de colocar conductores subterráneos. Ya había ensayado el sistema en Menlo Park, para un circuito de ciento veinticinco lámparas, pero entonces no había que resolver problemas de distancias, ni tampoco se consideraron las otras dificultades, como la necesidad de hacer nuevas conexiones, las reparaciones, los arreglos de calles, etc. Pero Edison fue resolviendo todos los inconvenientes uno a uno. En nada se diferencia el suministro de electricidad, el del gas o el del agua —sostenía continuamente—. ¿Se le ocurriría a alguien instalar en postes esas conducciones de agua o de gas, a pesar de que sus presiones no son en ningún caso peligrosas para la vida humana.

Por el contrario, nadie ignoraba los numerosos accidentes que se producían con los tendidos aéreos. Las compañías de teléfonos, telégrafos, indicadores automáticos, aparatos de alarma contra ladrones, montaban sus líneas arbitrariamente, sin ningún control, y sus hilos se entrecruzaban. Si alguno se rompía, el cabo quedaba colgando, a veces, durante meses enteros, pues se carecía de reglamentación al respecto. Y si bien por esos circuitos no circulaban corrientes peligrosas, la llegada de la luz de arco hizo cambiar las cosas. Algunos consideraban esta corriente más peligrosa que los búfalos del Oeste.

Aquel hilo, aislado deficientemente, llegó a conocerse con el nombre de *undertakers*, es decir, empresarios de pompas fúnebres. En una calle de Nueva York, un hombre que trabajaba en un poste instalando alambres para la conducción de la corriente para el alumbrado por arco voltaico, quedó abrasado ante los espantados ojos del público; en aquel mismo poste se instaló un cepillo para la recogida de limosnas destinadas a la familia del desgraciado.

Con ser evidentes sus ventajas, la idea de los conductores subterráneos tardó en abrirse camino. La frase de un humorista de aquel tiempo refleja los afanes de Edison de entonces: «Ciertas compañías eletricas buscan el aire. Otras, el agua. En cambio, Edison no pide más que la tierra»

PROBLEMAS

Por aquel tiempo, el renombrado político del partido republicano Jacob Hess pertenecía a la comisión nombrada para instalar los conductores subterráneos en Nueva York. Estando esta comisión sumida en un mar de dudas acerca de qué sistema convenía emplear entre los muchos que le fueron presentados, acudió a pedir consejo a Edison. Hess contó así lo que se convertiría en anécdota:

«Por algunos de los proyectos nos pedían sumas fabulosas. Cuando solicitamos de Edison una opinión, él nos dijo: «El camino a seguir, señores, consiste en aislar los hilos y colocarlos bajo tierra. ¿Con qué protección? Con la más económica que se conoce: tubo de hierro. Instalen tubos de éstos en galerías subterráneas, pasen por ellos los conductores, y el montaje quedará listo». Y lo más asombroso fue que no quiso cobrar nada por su idea»

A finales de 1880 se fundó la «Edison Electric Illuminating Company», de Nueva York, que obtuvo una licencia para uso exclusivo del sistema en aquella zona. Es decir, la de Manhattan Island. La central se instaló en un edificio en Pearl Street, de cuatro pisos. Como la construcción no resistiría el enorme peso de las grandes dinamos y máquinas de vapor, que iban a ser colocadas en el segundo piso, fue preciso quitar el suelo y reemplazarlo por otro, apoyado en poderosas vigas y columnas.

Una fotografía poco conocida de Thomas Alva Edison, en el centro de la imagen junto a dos notables de su generación: Ford, con una cámara fotográfica en la mano, y Borroughs. Fue tomada en 1920.

«Cuando proyectaba mi primera central, la de Pearl Street, yo no poseía ningún bien inmueble, e ignoraba el precio de uno en Nueva York. Realicé unos cálculos a mi capricho, pero no tardé en comprender que convenía asegurarse. Mi pensamiento consistía en instalar la central en un solar de doscientos por doscientos pies, creyendo que en los barrios bajos encontraría terrenos baratos. Me dirigí, pues, a una de las calles más pobres, y pregunté en un lado y en otro, descubriendo que únicamente podía contar con dos edificios, de veinticinco pies de fachada y con fondos de ochenta y cinco y cien pies. Supuse que los podría adquirir por unos diez mil dólares, pero, al preguntar su precio, resultó que éste era de setenta y cinco mil y ochenta mil dólares, respectivamente. Tuve que cambiar todos mis planes y buscar espacio hacia arriba, donde no cuesta nada. Hice derribar todos los suelos y tabiques del edificio, respetando los muros exteriores, y levanté la central sobre una estructura de hierro muy elevada».

Edison iba solucionando problema tras problema. Como el edificio se levantaba en un callejón estrecho y en un barrio con gran densidad de población, no se encontraron facilidades para la entrada y salida del carbón y de las cenizas, ni tampoco para la ventilación y el tiro forzado. Pero el cerebro que dirigía todo aquello fue remediando los inconvenientes. Sin ser ingeniero de máquinas de vapor, sus incesantes lecturas y su maravillosa intuición reemplazaron a la de los estudios técnicos. Además, contaba con su experiencia en máquinas de vapor adquirida en las locomotoras del Great Trunk.

Mientras tanto, en la Edison Tube Works se trabajaba a un ritmo intensísimo, pues se necesitaba tubo para cubrir más de quince millas, sin contar las cajas para conectar la red a los cruces entre calles, ni las cajas de empalme para sacar de la red principal derivaciones a todos los edificios.

Los trabajos para tender los tubos subterráneos comenzaron en el otoño de 1881, y se hicieron con una celeridad impresionante. Así lo relata el mismo Edison:

«Cuando estábamos tendiendo los tubos, la
Comisión de Obras Públicas nos pidió que
enviásemos un empleado a sus oficinas. Yo mismo me
presenté allí y el oficial, O.H. Thompson, me dijo:
'El Departamento de Obras Públicas les obliga a
admitir a cinco inspectores para controlar sus obras
de tendido de tubos. Les abonarán cinco dólares
diarios, pagaderos los sábados. ¡Buenos días!' La idea
de estar vigilados no me agradó, pues significaba, sin
duda, una detención de los trabajos y otros
inconvenientes. Nuestros tubos se montaban de día y
de noche. Pero aquellos inspectores no se dejaron ver
demasiado. Para ser exactos, se limitaron a
presentarse el sábado a cobrar.»

«En el sótano de la estación de Pearl Street
guardábamos una gran cantidad de tubos. Para no
perder tiempo en ir a descansar a mi cama, pues
trabajaba de continuo, a veces me acostaba sobre
esos tubos, tanto de día como de noche, colocando
un gabán entre ellos y yo. Tenía allí empleados a dos
alemanes que realizaban experimentos, y los dos
fallecieron de difteria, contraída en aquel sótano, que
era húmedo y frío. Yo nunca noté nada.»

El plan ya estaba en marcha, pero él no se dio por satisfecho. Toda
su vida fue una continua búsqueda de la perfección. Una carta dirigida a
uno de sus colaboradores acerca de los asfaltos indicaba bien a las claras
que no dejó de hacer ensayos para mejorar aquella instalación.

«Querido Kruesi: Su composición es magnífica. Sin
embargo, hay una dificultad con las burbujas de aire.
Estas aumentan con la temperatura a que se vierte. A
212 grados es posible verter en forma de barras, sin
burbujas. Uno de mis hombres se dedica
exclusivamente a experimentar sobre esto. Mientras
no se descubra el método adecuado de verter la masa
sin que aparezcan burbujas, será inútil experimentar
con otros asfaltos. Quizá la solución se encuentre en
la resina, que se destila fácilmente. Tampoco hemos

de olvidar la parafina y otras sustancias, para conseguir una masa que no sea excesivamente quebradiza. El procedimiento a emplear consiste en verter a capas, tanto para las cajas como para los tubos, varillas o cuerdas.»

BUSCAR ESCARABAJITOS

Después de construir las tres dinamos «Jumbo» para París y Londres, se empezaron a hacer seis más para Nueva York. Tres de ellas, con una capacidad de mil doscientas lámparas incandescentes cada una, se instalaron en mayo en el segundo piso de Pearl Street. Dos meses después se ponía en funcionamiento la primera, movida por vapor, y tres días más tarde se envió energía eléctrica producida por ella a un banco del piso superior que tenía mil lámparas, con resultado satisfactorio.

También se probaron el aparato regulador y el indicador de presión, con buenos resultados. Pero quizá el ensayo más interesante para Edison lo constituyó la comprobación de la resistencia de la estructura de hierro sobre la que descansaba la central. Dos peritos en construcciones le entregaron un cuidadoso estudio acerca del exceso de seguridad que ofrecía el edificio, y sólo entonces se sintió Edison tranquilo.

Ya todo montado, su creador quiso realizar las suficientes pruebas preliminares antes de que la estación funcionase para el servicio público. Deseaba averiguar Edison cuáles serían las dificultades que aparecerían en la práctica, para poner remedio por anticipado. Mandó instalar varias camas de campaña en el edificio contiguo y, eligiendo a sus más entusiastas y hábiles colaboradores, se encerró con ellos en la estación, donde permanecieron durante varias semanas trabajando día y noche, comiendo cuando se acordaban y durmiendo cuando estaban a punto de caer rendidos de fatiga.

Edison les dijo: «Ahora, queridos muchachos, vamos a buscar los escarabajitos». Y se pusieron manos a la obra. Era aquella su frase predilecta cuando debían buscar un error o un fallo. «Buscar los escarabajitos» era localizar la pieza que funcionaba mal, la rotura o el oculto secreto de que algo no funcionase debidamente. Pero durante esas semanas no se interrumpió la instalación de los hilos, lámparas y conductores en todo el distrito. La inauguración oficial de la estación de Pearl Street tuvo lugar el 4 de septiembre de 1882. Se abrió el paso del vapor, comenzó a funcionar la primera de las «Jumbo», se produjo corriente, y ésta pasó a la red exterior, transformándose en luz en las lámparas incandescentes. Acababa de nacer la verdadera era de la electricidad.

El complicado y novísimo sistema funcionó a la perfección. Se advirtieron algunos pequeños defectos mecánicos, nada que impidiera el normal suministro de corriente a los abonados, tanto de día como de noche. Aquella estación funcionó ininterrumpidamente durante ocho años, sin apenas averías, lo que demostraba la capacidad de la mente que la creó.

El *New York Times* lo describió así: «Hasta las siete, hora en que empezó a oscurecer, la luz eléctrica no se pudo apreciar pero poco después demostró cuán brillante y fija es...Era una luz tan buena que uno se podía poner a escribir debajo de ella durante cuatro horas sin darse cuenta de que tenía luz artificial encima. En cada lámpara se notaba un ligero calor, pero ni con mucho tanto como el que se desprende de la luz de gas. La luz era suave, acariciadora y agradable a la vista y parecía casi lo mismo que escribir a la luz del día. Las lámparas eléctricas fueron probadas por hombres que han atormentado sus ojos suficientemente trabajando de noche para conocer las cualidades buenas y malas de una lámpara y la decisión se inclinó de forma unánime en favor de la lámpara eléctrica de Edison y en contra del gas».

A TODO JUMBO

Con excelente buen sentido, Edison inauguró la central poniendo en funcionamiento una sola dinamo. Cuando se hizo necesario suministrar más corriente a la red, porque el nuevo sistema de iluminación se extendía rápidamente y se habían conectado las instalaciones de nuevos clientes, Edison decidió echar a andar la segunda Jumbo. Eligió un domingo para aquel envío de corriente suplementaria a la red, el día en que se hallaban cerradas las casas comerciales. Así, en el supuesto de que surgieran fenómenos extraños, las repercusiones en la opinión pública serían menores.

> «Al comienzo de la prueba tenía un nudo en la
> garganta. Las dos máquinas se pusieron a trabajar en
> paralelo. Una de ellas se detenía y la otra comenzaba
> a girar a mil revoluciones. Al ponerlas en
> movimiento todos echamos a correr y seguramente
> algunos no se detuvieron hasta llegar a la segunda
> manzana. Sin embargo, E.H. Johnson y yo
> conservamos la serenidad: él se encargó de una
> válvula y yo de la otra, deteniendo las máquinas».

Uno de los que salieron corriendo, aunque no llegara muy lejos, pudo ver más que el resto. Y contó:

> «Fue algo espantoso. Ninguno de nosotros sabía lo
> que ocurría. Las máquinas y las dinamos funcionaban
> con ruido infernal y lanzaban algo así como gemidos
> y aullidos. Todo el local se llenó de chispas, llamas y
> humo. Daba la impresión de que las puertas del
> infierno se acababan de abrir ante nuestras narices».

Edison estimó que el defecto radicaba en los reguladores. Poco después ya estaba dirigiendo la construcción de un eje, con el que esperaba enmendar el defecto.

> «Comprendí en seguida que todo había sido causado
> porque un grupo actuaba sobre el otro, como si se
> tratase de un motor. Conecté los reguladores por
> medio de un eje, esperando que diera buen resultado.
> No lo dio. El árbol se torcía de tal forma, que uno de
> los reguladores corría más que los otros. Entonces me
> dirigí a Goerck Street y elegí un pedazo de eje y un
> tubo en el que encajaba. Torcí el tubo hacia un lado
> y al árbol hacia el otro, y los uní. Pensé que al torcer
> ambas piezas, la torsión no se produciría. Así fue. Los
> reguladores marcharon perfectamente.»

Antes de que concluyera aquel año de 1882, se había incrementado tanto el número de clientes de la luz eléctrica, que fue preciso añadir tres Jumbo más a la central. Había comenzado a funcionar alimentando cuatrocientas lámparas y tres meses después éstas aumentaron a cinco mil, pertenecientes a doscientos cuarenta abonados. Siguieron aumentando las solicitudes y en 1884 se montaron otras dos Jumbo en el edificio contiguo, aumentando con ellas la capacidad de la estación a once mil lámparas.

«Cierta tarde, llegó un policía y nos ordenó que enviásemos al punto un electricista a la esquina de las calles de Ann y Nassau. Me dirigí allá con un ayudante y vimos que en el lugar se había reunido un gentío inmenso. Por la delgada capa de tierra húmeda de la calle circulaban corrientes muy elevadas, pues se había originado un escape en una de las cajas de empalme. Los caballos que pasaban por allí se agitaban bajo las descargas eléctricas. En ese momento apareció por un extremo de la calle un trapero con su viejo caballo...'¡Eh, amigo! ¡Pase por este lado!', le gritó un diablo de muchacho, señalándole el piso que se hallaba bajo los efectos de la corriente».

«El pobre hombre, sin sospechar nada, se dirigió hacia allí, y en cuanto el caballo puso sus patas en el suelo peligroso, comenzó a dar saltos y a retroceder, hasta que salió corriendo, en medio de las carcajadas de todos los presentes, incluida la policía. Tan pronto como mandé llamar a un grupo de obreros, el agente nos despejó la calle para poder trabajar, y arreglamos el desperfecto». Al día siguiente se presentó un sujeto ante Edison y le dijo: «¿Podría instalarme uno de sus aparatos en mi negocio? Verá usted: me dedico a la venta de caballos, he visto lo que ayer le ocurrió al del trapero y se me ocurre pensar que ganaría una fortuna vendiendo pencos electrizados que correrían como demonios en todas las carreras».

En diciembre de 1882 se empezó a cobrar el servicio, después de tres meses de entrega gratuita. Se instalaron los contadores de Edison en los domicilios de los consumidores. La primera factura de luz se cobró el 18 de enero de 1883 y su importe ascendía a 50,40 dólares. El cliente fue la Ansonia Brass and Copper Company.

Aquella estación de Pearl Street trabajó satisfactoriamente hasta el 2 de abril de 1890, fecha en que todas las dinamos Jumbo, excepto una, tuvieron graves desperfectos a causa de un incendio. La que se salvó, la número nueve, se conserva como una reliquia en la New York Edison Company. Las calderas no sufrieron daño alguno. En pocos días se concluyó la instalación de máquinas y generadores y la estación volvió a funcionar. Pero aquella ya no era la antigua Pearl Street.

CENTRALES ELÉCTRICAS

LUZ A TODAS HORAS

Las estaciones comerciales de electricidad empezaron a verse en diferentes localidades. Como la de Sunbury en Pennsylvania y la de Appleton en Wisconsin, que se puso en funcionamiento el 15 de agosto de 1882 y fue anterior a la de Pearl Street. Pero Edison dedicó su máximo interés a la de Pearl Street. Eso sí, Appelton tuvo su historia por haber sido la primera estación que trabajaba con fuerza hidráulica.

Convencido de que el único sistema seguro y rentable de suministrar energía eléctrica a los consumidores era la corriente continua, a ella dedicó todas sus energías. Por tal motivo se culpó sin fundamento y con frecuencia a Edison de ser el gran enemigo de la corriente alterna. Una afirmación gratuita e injusta.

Cuando en Virginia se dictaban leyes para limitar la fuerza de las corrientes eléctricas, a fin de evitar accidentes, Edison sostuvo que no se debían prohibir las altas tensiones cuando las circunstancias hicieran imposible los accidentes en los domicilios de los consumidores, aunque se originara una catástrofe. «Si instalamos una estación junto a los saltos de agua de Richmond, movida por la fuerza hidráulica aprovechada por una planta especial, representará una mayor economía conducir la energía a la ciudad. Abriendo una zanja y colocando en ella un cable aislado, quedará enlazada la estación con el centro de Richmond. La potencia del salto de agua acciona unos motores, y éstos, a su vez, unas dinamos. La corriente así producida, de baja tensión, llega al público a través del cable, evitándose todos los peligros de la alta tensión».

Aquí Edison establecía ya la diferencia entre la corriente alterna de alta tensión, para la distribución, y la corriente continua de baja tensión, para la distribución. El continuo mejoramiento que Edison impuso a todas sus obras fue motivo de muchos adelantos. La mecánica fue la gran favorecida. Por ejemplo, se cuidó mucho más el refinado del cobre para los circuitos con el fin de hacerlo más conductor. Edison no admitía trabajos imperfectos Y desechaba los materiales que no soportaran duros exámenes previos, incluida la observación microscópica.

La máquina de vapor también obtuvo un notable beneficio de este estado de cosas. Necesitaba una de funcionamiento suave y que pudiera regularse con más exactitud que las que disponía para su dinamo y sus lámparas. Si esto no se conseguía, jamás obtendría una luz fija. Le desagradaba saber que los clientes protestaban ante las intermitencias de las lámparas. Esta necesidad de mejorar aquellas máquinas existentes impulsó a Gardiner C. Sims a idear un nuevo tipo. Era un hombre inteligente, que había trabajado en el departamento de ingeniería y en la construcción de locomotoras.

Veámoslo en palabras de Sims:

«El señor Edison me proporcionó todos los medios para realizar mi trabajo y toda la ayuda moral que necesitaba. Sus valiosos consejos me guiaron por el camino adecuado. Yo me encontraba en una situación terrible: pobre y sin amigos. Pero en él tuve al mejor amigo. Nunca hubiera podido soñar una cosa parecida. El señor Edison sabía lo que andaba buscando y me lo explicaba con una claridad meridiana. Sin su ayuda no hubiera conseguido la máquina soñada».

«Construimos nuestra primera máquina y ello originó

que se inventase y fabricase un indicador adecuado: el Tabor. Se había obtenido la velocidad y la carga ambicionadas con un freno de fricción. Igualmente el regulador de velocidad. Pero se necesitaba un regulador para comprobarla. También se desconocía el modo de lubricar una máquina de funcionamiento continuado. El señor Edison me dijo: 'Lo que necesito es una máquina que produzca luz a todas horas. Observe lo que sucede en una máquina de barco: se pone en funcionamiento antes de zarpar y sigue funcionando a pesar de haber llegado al puerto'. El problema era nuevo, pues hasta entonces sólo se había exigido a las máquinas un funcionamiento de cinco horas».

«Sin embargo, la casualidad me proporcionó el medio de lubricar la máquina constantemente, y así nacieron las copas de engrase, de las que saqué patente de invención, y todavía se emplean».

Durante muchos años, todas las instalaciones de Edison se equiparon con máquinas de Armington & Sims.

LOS CONTADORES

Fue en Pearl Street donde funcionaron por primera vez los contadores electoquímicos, que luego se extendieron a la estación de Sunbury. Comprendiendo Edison que la electricidad vendida convenía que fuera medida como el gas o el agua, se aplicó a la creación de un contador adecuado a tal fin. Casi nadie creía en la posibilidad de conseguir un aparato que midiera algo tan intangible como la corriente eléctrica, que ni se veía ni se oía, y que sólo se manifestaba en el lugar de uso. Pero Edison estaba convencido de que existían varios procedimientos para conseguirlo.

Su contador electrolítico se basaba en el principio de que una sustancia química se descompone al paso de la electricidad. En un vaso de vidrio con una disolución de sulfato de cinc, se sumergían dos placas de cinc químicamente puro. Al encenderse una luz o ponerse en marcha un motor, se desviaba hacia el contador una minúscula cantidad de corriente, que pasaba de la placa positiva a la negativa. El cinc metálico se depositaba en esta última, que aumentaba de peso. La positiva perdía peso, debido al metal que se desprendía de ella. La cantidad de electricidad o el número de amperios-hora venía dado por la diferencia de peso. Se sacaban las placas, se secaban y se pesaban en una balanza química. Estando en servicio, el contador se quitaba cada mes de casa del cliente, y era sustituido por otro; el primero se llevaba a la central para ser examinado. El aparato podía fabricarse a un precio módico, su instalación era sencilla, barata y nunca se estropeaba.

Por aquel tiempo, uno de los clientes, el señor J.P. Morgan, manifestó a Edison sus recelos acerca de la precisión de los contadores. Edison le propuso la siguiente prueba: se colgaría de cada aparato de luz una tarjeta en la que figurasen las horas que había estado en funcionamiento. Al término del mes, se sumarían todas las horas y se compararían con la factura que pasaba la estación. Hecho esto, se vio que la factura era superior a las horas anotadas por el cliente.

«Estaba seguro de ello», exclamó Morgan muy satisfecho. Edison se quedó pensativo y respondió: «Tiene que haber un error. Mi contador no puede mentir. Repitamos la prueba el próximo mes». Así se hizo. Y se obtuvo el mismo resultado. Morgan no cabía en su pellejo. Pero Edison no se dio por vencido. Realizó averiguaciones y así se descubrió que las oficinas de aquel cliente se limpiaban a medianoche por el portero y que éste jamás anotaba las horas de luz en la tarjeta. Se realizó una tercera comprobación, esta vez teniendo en cuenta las horas nocturnas, y las dos cuentas coincidieron casi exactamente: el error fue de simples centavos. Finalmente, J.P. Morgan se convenció de la exactitud del contador.

En su libro *Electricidad en la vida diaria*, Houston & Kennely decían a este respecto: «El contador químico de Edison mide con exactitud las corrientes que lo atraviesan. Pero como los clientes han protestado al no poder leer las indicaciones en el contador, éste ha sido sustituido en los últimos años por contadores registradores, aptos para ser leídos por todo el mundo.»

En la época de la inauguración de Pearl Street, Edison reconocía que todos ellos eran unos malísimos comerciantes. «Hacíamos instalaciones

Un retrato de madurez de Thomas Alva Edison, inventor del telégrafo y del fonógrafo y de la primera lámpara de filamento incandescente. Vivió 84 años dedicado por completo a sus investigaciones. (Foto: Camera Press / Zardoya)

sin preocuparnos de las facturas, pues nos interesaba más la técnica que el comercio. Disponíamos de algunos contadores con dos botellas de líquido. Para que no se helara, colocábamos dentro del contador una tira de metal, que, al enfriarse, se contraía, cerraba un circuito y encendía una lámpara, situada también en el interior del contador. La congelación no se producía debido al calor de la lámpara y el aparato no interrumpía su funcionamiento». Y se extiende en detalles:

«El primer día de frío llegó bastante gente a nuestras oficinas diciendo que se habían incendiado sus contadores. Otros clientes nos lo anunciaban por teléfono. Hubo quien echó agua al aparato y quien pidió el envío de un entendido. Sólo cuando la estación funcionó a nuestra satisfacción durante varios meses empezamos a preocuparnos del aspecto económico. Descubrimos que el encargado de los libros era negligente y, aunque ya se habían cobrado algunas facturas, resolvimos poner a otro en su puesto. El elegido fue el señor Chinnock, superintendente de la Metropolitan Telephone Company, de Nueva York. Hablé con él y le convencí para que abandonara su empleo, ofreciéndole diez mil dólares de mi bolsillo si lograba organizar comercialmente la estación de modo que rindiese el cinco por ciento sobre seiscientos mil dólares. Lo consiguió, y yo le aboné esa cantidad. Aunque después pedí ese dinero a la Edison Electric Light Company».

«No fue sencilla la tarea de Chinnock. Luchó a brazo partido con los clientes. Había uno que poseía un establecimiento de bebidas en Nassau Street. Chinnock le extendió en junio una factura por veinte dólares; en julio le cobró la misma cantidad; en agosto el importe subió a veintiocho; en setiembre a treinta y cinco, y en octubre a cuarenta. Las noches eran más largas y las lámparas estaban más horas encendidas. Finalmente, en noviembre la factura fue de cuarenta y cinco dólares. Entonces aquel cliente se personó en nuestras oficinas y dijo a Chinnock:

'He advertido que mi factura ha subido de veinte a cuarenta dólares. Sólo he venido para indicarle que mi tope son sesenta dólares'. En cierta ocasión Chinnock me dijo que un cliente había solicitado la instalación de doscientas cincuenta lámparas. Y añadió :'Creo que su negocio consiste en envejecer el whisky. He oído decir que introduce una bombilla encendida en cada barril para conseguirlo. Al parecer, da buenos resultados'. Y así debía ser. Un tiempo después se supo que un rival había patentado el procedimiento.»

CUENTOS PARA NO DORMIR

«Al cabo de un año de estar funcionando Pearl Street, dimos corriente a la Bolsa, y recuerdo que en ese tiempo estábamos muy preocupados temiendo que se produjera una gran demanda de fluido en un día oscuro, que originaría una sobrecarga en la estación. Para saber la cantidad de corriente que salía, disponíamos de un indicador llamado amperímetro. Me encontraba en el 65 de la Quinta Avenida, cuando vi que negros nubarrones cubrían el cielo. Tomé el teléfono y pregunté a Chinnock cómo andaba la carga. 'Está a tope pero todo funciona a la perfección', me contestó. Poco después la ciudad se vio tapada por una capa de densa niebla y era imposible ver a cinco metros. '¿Cómo va eso?', telefoneé a Chinnock. 'Todo está al rojo y el amperímetro ha hecho diecisiete revoluciones', me dijo. Afortunadamente, la cosa no pasó a mayores.»

Entre las estaciones que se instalaron en aquel tiempo, destacaba la de Brockton, famosa por haber sido la primera del mundo en disponer de una red subterránea de conductores de tres hilos. Al principio contó con tres dinamos, una de las cuales podía suministrar corriente a ambos lados del sistema, en los periodos de carga ligera. Esto tenía el inconveniente de que impedía un registro exacto de la corriente suministrada, pues los contadores de una parte de la red marcaban al revés durante el tiempo en que trabajaba esa tercera dinamo. La consecuencia era que, después de suministrar corriente a un abonado durante toda la noche, podía darse el caso de que la Compañía le debiese dinero. Se evitó el inconveniente sustituyendo aquella dinamo por otras dos. La estación de Brockton fue inaugurada por Edison el 1 de octubre de 1883 y en ella permaneció durante una semana observando su funcionamiento.

Tanto era el prestigio que ya por entonces había alcanzado el nombre de Edison, que el teatro de la ciudad adoptó el sistema de alumbrado eléctrico antes de haber probado el de gas. También lo solicitó la estación de bomberos, donde se conectó a un ingenioso mecanismo que, en caso de fuego, encendía automáticamente las luces y dejaba en libertad los caballos.

El gerente de la estación de bomberos, W. J. Jenks, relató:

«Una noche llamaron a la puerta de la oficina dos señoras muy elegantes y solicitaron ver los aparatos de la estación. Me presté a acompañarlas y empecé por llevarlas a la sala de máquinas de vapor, explicándoles que el carbón que allí veían se empleaba para producir vapor en la caldera. A continuación, pasamos a la sala de las dinamos y les dije que esas máquinas convertían el vapor en electricidad, la cual pasaba después a las lámparas y las encendía. Seguidamente les enseñé los contadores, explicándoles para qué se usaban. Todo aquello pareció interesar vivamente a las señoras, que me agradecieron la lección que habían aprendido. Cuando se disponían a marcharse, una de ellas me dijo que habían contemplado cosas realmente maravillosas pero deseaban preguntarme qué diablos hacíamos allá»

Igualmente importante era la estación instalada para iluminar los edificios de la Exposición de Louisville, Kentucky, en 1883. Alimentaba a cinco mil lámparas y comenzó a funcionar al mes y medio de haber sido encargada. Esta Exposición dio gran impulso a la iluminación por incandescencia, a la que debieron buena parte de su éxito las ferias siguientes: la Mundial de Chicago en 1893, la de Buffalo en 1901, y la de St. Louis en 1904.

La primera central permanente de Edison en Europa fue la de Milán, Italia, inaugurada en marzo de 1883. Y la primera en América del Sur, en Santiago de Chile, en el verano de 1883. Sin embargo, pasarían dos años antes de que se instalara una en Alemania. Un modelo de aquella central se conserva en el Deutschen Museum de Munich. La primera central en una fábrica se montó en 1881. Era una de tejidos de lana propiedad de James Harrison, en Newburgh, Nueva York, y se hizo en el mes de setiembre. Un año después, el propio Harrison escribió a Edison en los siguientes términos entusiastas: «Creo que mi fábrica fue la primera en alumbrarse con su luz eléctrica, de modo que se le puede llamar la número uno. Como su trabajo fue de primera calidad, también es, naturalmente, el número uno. Lo mismo puede decirse de la luz, que es igualmente número uno, por su economía con respecto al gas y tan segura con respecto a los incendios.»

El primer yate de vapor con lámparas incandescentes fue el Namouna, perteneciente a James Gordon Bennet. La pequeña central para ciento veinte lámparas se instaló a bordo en 1882. La primera instalación de Edison en un hotel se realizó en octubre de 1881, en la Blue Mountain House, en los Adirondacks. Al estar situado a más de mil metros sobre el nivel de mar y a cuarenta millas del ferrocarril, la maquinaria hubo de transportarse en piezas, a lomo de mulas. A falta de carbón, las calderas se alimentaron con leña. El 12 de diciembre de 1882 se inauguró el teatro Bijou de Boston, el primero que se alumbró con una central independiente en los Estados Unidos.

La primera central montada en un buque del Estado podía alimentar a ciento veinte lámparas. La instalación se realizó en 1883. Su más interesante peculiaridad consistía en el empleo de lámparas submarinas especiales, que recibían la corriente a través de un cable de novecientos pies de largo. Las brillantes lámparas atraían a los peces y así podían ser capturados fácilmente. Parecían relatos maravillosos de grandes cuentistas. Pero aquella luminosa realidad superaba a la ficción más increíble. Era cosa de ver y casi no creer.

A TODO TREN

MOTOR ELÉCTRICO

Edison intuyó muy pronto el valor de la electricidad como fuerza motriz. Ya en 1870, al proyectar su dinamo, concibió aquella misma forma de máquina como motor. Lo cierto era que había inventado un motor eléctrico antes de ultimar la lámpara incandescente. Cuando trabajaba en su taller de Newark, el motor de un tal Payne desató mucho entusiasmo. Este Payne guardaba su motor en una pequeña habitación. Era circular, se encajaba en un armazón de hierro y en los extremos había unos pequeños imanes que se hundían en el suelo. Con la simple fuerza de dos pequeños pares de batería podían aserrarse grandes troncos con una sierra circular, conectada al motor con una correa, que movía la correspondiente polea.

Payne había cautivado a numerosas personalidades acaudaladas para fundar una sociedad y entre ellos al viejo amigo de Edison, el general Lefferts. Estaba resuelto a invertir un elevada suma de dinero en el negocio. Pero antes creyó necesario pedir la opinión de Edison. A la mañana siguiente, Edison acudió a la oficina de Payne y encontró al profesor Morse, al gobernador Cornell y a muchos otros personajes, entre ellos el general, naturalmente. Todos se dirigieron al lugar donde estaba el motor. Payne conectó un hilo a la barra metálica de la batería y el motor empezó a girar. Un operario manejó un grueso tronco para que fuera aserrado por el ingenioso mecanismo, cuya potencia era inmensa.

«Me satisface mucho haber vivido este día», exclamó Morse con profunda admiración. Edison no pareció demasiado convencido. Tenía sus dudas. La experiencia le decía que allí había gato encerrado. Al apoyar la mano en el armazón del motor, captó una vibración inconfundible. Ajajá. Se dio cuenta de que la poderosa fuerza que movía la sierra procedía de una máquina de vapor, que posiblemente se encontraba al otro lado de la calle. Una correa se extendía por debajo del suelo y un imán se encargaba de las conexiones y desconexiones. Los imanes a la vista eran puro teatro.

«Apoye la mano en el armazón del motor y observe la coincidencia de las vibraciones», le susurró Edison al oído del general Lefferts. Y así lo hizo. Pocos segundos después exclamó indignado: «Ya he visto bastante, me voy. Esto es un engaño.» De este modo, el general salvó su dinero.

Parece que fue en el viaje a Wyoming, con motivo de probar su tasímetro en un eclipse de sol, que a Edison se le ocurrió la idea de construir un ferrocarril eléctrico, para aliviar el penoso trabajo de los campesinos. Los vio en aquel viaje transportando con grandes sudores su grano a los mercados o los elevadores, y supuso que si, por su excesivo costo, era prohibitiva la instalación de un ferrocarril de vapor, quizá se pudiera construir un tren eléctrico sobre una sencilla vía, con motores controlados en varios puntos fijos. En el Oeste, con sus rudimentarios caminos, el transporte constituía para los agricultores una verdadero problema. Y Edison resolvió ayudarles.

La idea le persiguió de forma constante. Y a pesar de andar muy ocupado con la lámpara incandescente, sacó tiempo para construir una pequeña locomotora eléctrica y una corta línea en la proximidades de su laboratorio de Menlo Park. Aunque el primer ensayo de un ferrocarril eléctrico correspondía a Thomas Davenport, un herrero de Brandos, quien en 1834 construyó un modelo pequeño circular, exhibido en Springfield. Empleaba la corriente de unas baterías. Lo más sobresaliente era que utilizaba las vías como circuito: un riel era positivo, el otro negativo y el motor se colocaba entre ellos para recibir la corriente. Con el tiempo, otros realizaron nuevas tentativas Pero pocas alcanzaron su objetivo. Edison fue el hombre inventor que le dio el necesario impulso para su comercialización.

El pequeño ferrocarril de Menlo Park funcionó por primera vez el 13 de mayo de 1880. La longitud de la vía era de un tercio de milla. Salía de los talleres, rodeaba unas colina y regresaba. Charles T. Hughes, uno de los que trabajaron en el proyecto, recordaba: «Se componía de rieles viejos de tranvía, aislados con tela alquitranada y cosas parecidas. Esta vía recibía la corriente de dos dinamos tipo standard z, construidas en el laboratorio, cuya corriente se llevaba a la vía por conductores subterráneos».

La locomotora se construyó mientras se montaba la vía. Consistía en un armazón de cuatro ruedas, es decir, una sencilla vagoneta. En ella se instaló como motor una dinamo z, de doce caballos. En el circuito del inducido había un conmutador, que permitía al maquinista invertir la dirección de la marcha, simplemente con cambiar el curso de la corriente. El primer ensayo se realizó un jueves. Todo el mundo dejó su trabajo y echó a correr hacia la locomotora para dar en ella un paseo. Pero el peso resultó excesivo y se rompieron las poleas de fricción. Entonces Edison empleó las correas, uniendo por medio de una de ellas el eje del inducido a un árbol intermedio en el armazón de la locomotora. Este árbol transmitía la fuerza a una polea del eje del vehículo. Con las oportunas mejoras, la máquina funcionó casi con la perfección deseada.

Se construyeron tres vagones, uno de los cuales disponía de dos bancos de jardín y un toldo. El siguiente vagón era de carga. Y en el último, la imitación de un Pullman, Edison puso un sistema de freno eléctrico. En mayo solicitó la patente por «una máquina de ferrocarril electromagnética», y otra para su ingenioso sistema de freno. El público tuvo enseguida conocimiento de aquel ferrocarril a través de los periódicos y de las revistas técnicas. El *New York Herald* de junio hacía notar que «allí se encontraba la locomotora que sería del agrado del neoyorkino, el cual tenía ya la cabeza aturdida a causa del ruido, los ojos llenos de polvo y el traje hecho una pena por las manchas de grasa». El *Daily Graphic* publicó diseños y descripciones de la vía, y el dibujo de una locomotora de cien caballos de fuerza que sería usada por la Pennsylvania Railroad entre Peth Amboy y Rahway. Fueron muchos los que visitaron el pequeño ferrocarril de Edison: curiosos y bastantes directores de ferrocarriles, que lo contemplaron con sonrisas forzadas y mucho escepticismo. Su actitud parecía justificada: nadie como ellos había recibido tantos inventos, por lo que aquel que se sumaba a la lista no lo tomaron en consideración. La primera línea férrea eléctrica comercial se inauguró en mayo de 1881. Es decir, un año después y consistía en un corto trayecto de milla y media de longitud, de Berlin a Lichterfelde. La innovación de Edison fue calificada de insignificante por los directores de los ferrocarriles clásicos.

RESISTENCIA

«Cierto día me visitó Frank Thompson, presidente de la Pennsylvania Railroad, porque deseaba ver la luz eléctrica y el ferrocarril eléctrico. Viajó en él y después le dije: 'Estoy proyectando una locomotora eléctrica de trescientos caballos de fuerza y con ruedas de seis pies. Creo que podrá sustituir a las de vapor. Thomson respondió con seguridad aplastante: '¡Tal cosa jamás sucederá! Su locomotora eléctrica será un fracaso y las de vapor seguirán su marcha triunfal'. Yo había depositado muchas esperanzas en aquellos trabajos y las palabras de un hombre como él, tan entendido en locomotoras, me dejaron bastante abatido. Pero seguí trabajando. Tres años después podía empezar la construcción de mi máquina en los talleres de Goerck Street. Cuando la tenía casi concluida, hube de abandonarla para dedicarme a otros trabajos».

«La idea de que el ferrocarril eléctrico resultaría muy práctico me la inspiró Henry Villard, presidente de la Northern Pacific. Había dicho: 'Sería una gran cosa poder construir líneas en ángulo recto, para instalarlas en las regiones trigueras de Dakota, empalmándolas con la red principal. De este modo evitaríamos un largo viaje a los campesinos, a veces de ochenta millas, con sus pesadas cargas'. Había

lugares tan apartados en los que resultaba
prácticamente antieconómico cosechar trigo.
Resolví construir un ferrocarril muy ligero, de vía
estrecha, y reuní muchos informes acerca de los
vientos en las llanuras, hasta asegurarme de que
unos molinos de viento de gran tamaño podrían
proporcionar la electricidad necesaria para poner
en movimiento los trenes trigueros.»

Entre las personas que visitaron el pequeño ferrocarril eléctrico de
Edison en Menlo Park, figuraban algunas interesadas en el sistema del
ferrocarril elevado de Manhattan, en Nueva York. Antes de implantar
un tipo determinado, deseaban realizar muchas pruebas. Al parecer,
Edison no estaba demasiado interesado en los proyectos de aquellos
caballeros.

«Cuando comenzó a funcionar el ferrocarril elevado
de Nueva York, en la Sexta Avenida, los vecinos
se quejaron del mucho ruido que producía y llegó
a temerse la intervención judicial. Los directores
me pidieron que realizara un estudio acerca de las
causas del ruido y construí un instrumento capaz
de registrarlo. Pero no tardé en descubrir que los
dueños no tenían la menor intención de poner
remedio al ruido, sino que iban a dejar que la
gente siguiera gritando».

Edison necesitaba dinero para continuar con sus experimentos en
Menlo Park. Fue Henry Villard quien le proporcionó la ayuda necesaria.
En septiembre de 1881 se firmó un contrato, en el que se estipulaba que
«se construirían dos millas y media de ferrocarril eléctrico en Menlo
Park, tres vagones y dos locomotoras, una para carga y otra para
pasajeros. Esta última desarrollaría una velocidad de cien kilómetros por
hora. El precio del transporte de una tonelada de carga, por milla y
caballo de fuerza, sería menor al de una locomotora corriente. En caso de
éxito, Villard correría con todos los gastos y se encargaría de que la Light
Company instalara no menos de cincuenta millas de ferrocarril eléctrico
en las regiones trigueras.

Con objeto de que Edison pudiera seguir trabajando, Villard le adelantó cuatrocientos mil dólares. Los resultados fueron muy satisfatorios. Pero entonces no se alcanzó ninguna meta práctica, pues la Northern Pacific cayó bajo las manos de los administradores judiciales. Así, Villard se vio en la imposibilidad de seguir ayudando a Edison. Insull aseguró que éste había devuelto a Villard todo el dinero, estimando que se había tratado de un préstamo personal, y añadió que Edison sentía por Villard una profunda admiración.

«Las relaciones de Villard con la Nothern Pacific fueron de mal en peor y llegó un momento en que mi amigo se sintió derrotado. Su esposa me llamó para que acudiera a infundirle ánimos. No resultó sencillo. Estaba totalmente desmoralizado. Pero empecé a hablarle de la luz eléctrica, de sus grandes posibilidades, y le aseguré que ella podría devolverle su posición perdida. Recuperó la ilusión, volvió a la lucha, ganó mucho dinero con la luz eléctrica y de nuevo se encontró dirigiendo la Northern Pacific. Fue un ejemplo de que a un hombre con voluntad nunca se le debe declarar vencido. Si cae, volverá a levantarse. Sobre Villard cayeron muchas críticas. Pero otros fueron mucho más culpables que él. Sus ingenieros gastaron dos millones de dólares en la construcción de la vía, Más adelante, Villard no pudo encontrar más dinero cuando hizo falta».
«En cierta ocasión decidió electrificar el ramal montañoso de la Northern Pacific Railroad y me preguntó si yo podía hacer el trabajo. Le dije que sí. Aunque le advertí que en aquel momento estaba muy ocupado en la terminación de otros trabajos más difíciles. Y añadí: 'Lo que usted me propone puede hacerlo cualquiera'. No se dio por vencido. E insistió: 'Yo deseo que usted se ocupe de este asunto' Al final, tuve que acceder. Preparé unos planos a base de la instalación de un tercer riel y de una zapatilla de freno. Pero los ingenieros de la Compañía manifestaron que aquello jamás funcionaría. Sin embargo, es el sistema que posteriormente se empleó en el New York Central y en el primer tren eléctrico que funcionó en New Haven.»

ABANDONO

A Grosvenor P. Lowrey nunca se le olvidó aquel viajecito al laboratorio de Edison y sus alegres muchachos. Y dejó escritas sus impresiones en una carta fechada el 5 de junio de 1880. «Goddard y yo hemos viajado a cuarenta millas por hora en el ferrocarril eléctrico del señor Edison, en Menlo Park. Para demostrar la potencia de la máquina, las curvas se instalaron muy pronunciadas. Al advertir la alarma en nuestros semblantes, Edison nos dijo: 'No hay cuidado. He pasado muchas veces por aquí a la misma velocidad'. Yo le dije: 'No me gusta nada. Pero seguiré adelante'. Por fin, el tren se salió de la vía y Kruesi, que conducía la máquina, fue arrojado al suelo. Edison saltó del tren, riéndose y exclamando: 'No hay duda de que ha sido un maravilloso accidente'. Y Kruesi, algo aturdido y con el rostro ensangrentado, también exclamó: '¡Oh, sí, estupendo!'. La cosa no pasó a mayores. Se colocó el tren de nuevo en la vía y continuamos corriendo como locos.»

Edison tampoco perdió la memoria de sus días de hacedor de tren eléctrico.

«No era por capricho que habíamos montado aquellas curvas y pendientes. Se trataba de unos ensayos. Si el ferrocarril de Menlo Park salvaba una hondonada, se debía a que Bogotá, la capital de Colombia, sólo podía comunicarse con Honda por medio de mulas y era un lugar situado en las fuentes del río Magdalena. Algunas personalidades colombianas se habían propuesto enlazar aquellos puntos por ferrocarril eléctrico. Hablaron conmigo, advirtiéndome que las pendientes eran muy pronunciadas. Pensé que no lo serían más del cuarenta y cinco por ciento y comencé a hacer pruebas. Dispuse en una locomotora eléctrica un aparato de sujeción al riel y pudo subir la cuesta de cuarenta y cinco por ciento. Cuando me advirtieron que las curvas eran muy cerradas, instalé unas semejantes en mi ferrocarril. Realicé las pruebas con una locomotora sin conductor, haciendo que tomara aquella clase de curvas. Pero sólo al cabo de varias semanas logré que no descarrilara, cuando coloqué la

vía con una inclinación de treinta grados. 'Esto va
bien. Pronto podremos instalar este ferrocarril de
Honda a Bogotá' me dijeron los los colombianos con
gran satisfacción. Pero, inesperadamente,
desaparacieron del mapa y jamás he vuelto a saber de
ellos. Naturalmente, nadie se hizo cargo de los gastos
que me ocasionó aquel montaje.»

En 1883 se fundó la Electric Railway Company of America, con un
capital de dos millones de dólares. Desarrollaría las patentes y los
inventos de Edison y de Stephen D. Field. Era éste un inventor rival que
había entablado pleito contra Edison y que se vio favorecido por la
decisión de la Compañía de Edison de unirse a él, en vez de luchar. Se le
entregó la dirección de los trabajos y desde este momento Edison se
apartó de la electrificación del ferrocarril.

«Posiblemente ha sido Edison quien se acercó más que ningún otro
norteamericano a las posibilidades del ferrocarril eléctrico», llegó a decir
Frank J. Sprague, notable inventor. Pero Edison se apartó de aquellas
posibilidades, aunque la Electric Raiway desarrolló algunas de las
patentes de invención de Edison y Field. Construyó una locomotora de
tres toneladas de peso, doce pies de longitud y cinco de anchura, que
alcanzaba una velocidad de nueve millas por hora. Fue exhibida en la
Chicago Railway Exposition y llamó vivamente la atención. Tomaba la
corriente de un riel central, mientras que los dos extremos formaban el
circuito de retorno. El contacto se realizaba con una escobilla de cobre,
que se deslizaba rozando cada uno de los dos lados del riel central,
viniendo a ser la zapatilla de contacto usada posteriormente. Aquella
locomotora funcionó desde el 5 de junio al 23, con un tiempo total de
ciento dieciocho horas, recorrió cuatrocientas cuarenta y seis millas y
tranportó veintiseis mil ochocientos cinco viajeros. Clausurada la
exposición, la locomotora y su remolque de viajeros fueron trasladados a
Louisville, Kentucky.

Edison se retiró de la batalla del ferrocarril eléctrico sin plantear más
batallas. Dio por bueno lo hecho y en paz.

VIDA PRIVADA

ADICTO AL TRABAJO

Edison era un tipo que vivía única y exclusivamente para su trabajo. De día y de noche. Cualquiera diría, a simple vista, que su familia le importaba un pepino. No era posiblemente así. Aunque nadie se atrevía a poner las manos en el fuego para sostener lo contrario. Sólo Mary, su mujer, se sobreponía a todo con cristiana resignación. Allá, en un Menlo Park que había adquirido fama mundial, Mary llevaba una vida solitaria. Veía poco a su esposo. La única compañía: sus hijos y las esposas de los hombres que trabajaban con Edison: Batchelor, Kruesi y Upton.

En los tiempos en que descubrió la luz eléctrica, Edison estuvo varias semanas sin pisar su casa.

«Hasta que un día le vimos salir del laboratorio y acercarse por el camino, como si estuviera dormido , manifestó uno de los habitantes de Menlo Park. Había algunos carpinteros trabajando en la casa y Mary los despidió a todos. 'Posiblemente no los oiría, pero debemos proporcionarle silencio. No ha podido ir más allá del cuarto de los invitados y se ha tendido

en la cama sin quitarse su ropa llena de grasa. Pero lo
único que me importa es que duerme y descanse».
Así era Mary.

Su hija Marion solía contar la siguiente anécdota:

«Como mi madre se encontraba con mucha
frecuencia sola en casa, llegó a temer a los ladrones.
No era raro verla dormir con un revólver debajo de
la almohada. Cierta noche, a mi padre se le olvidó
llevar la llave y, para no despertarnos, saltó la verja y
trepó al alféizar de la ventana del dormitorio. Mi
madre oyó ruido, lanzó un grito de espanto y apuntó
con su arma. El grito advirtió a mi padre, quien se
apresuró a hablar, evitándose así una tragedia».

El laboratorio se encontraba a un tiro de piedra de la casa de los
Edison. Pero Mary casi nunca apareció por allí. Al parecer, Edison
quería enloquecidamente a Mary. Se había enamorado de ella desde el
primer día en que la vio y era, sin contar con su madre, la única mujer de
su vida, su único amor. Tenía muy en cuenta que habían compartido
juntos los años más difíciles. Pero, ¿qué podía hacer un hombre como él,
atacado por la fiebre de inventar? El día le parecía corto. Toda su vida
necesitó días de más horas. Siempre que podía, dedicaba los domingos a
los suyos, llevándose a la esposa y a los hijos a una playa próxima. Y se
divertía con ellos como el mejor de los padres, gastándoles incesantes
bromas. «En tales ocasiones, mi madre no podía disimular la dicha que
sentía al verse al lado de su esposo», confesó Marion.

Cuando la familia se quedaba en el hogar, el padre solía llevar a los
pequeños, a modo de juguetes, piezas de relojes, y él mismo, en el suelo,
las volvía a unir, armando el complicado mecanismo. Realizaba todas las
operaciones a la vista de sus hijos, para que éstos fueran tomando afición
a los problemas mecánicos. Para su desgracia, los chiquillos no mostraban
la menor inclinación por las piezas de reloj. Cuando el pequeño William
Leslie, con nueve años, jugaba con entusiasmo con un tren de juguete,
su padre se lo arrebató, manifestando que era demasiado mayor para jugar
con algo tan infantil. Tuvo más fortuna con las placas de fonógrafo y la

muñeca parlante que recitaba los versos de Mamá Oca, que Edison construyó para ellos, y que tanto Tom como Willie recibieron con alborozo.

Parece que los niños nunca llegaron a comprender a su padre. Aunque se sentían queridos y protegidos por él, le consideraban una persona muy difícil. Por otra parte, Edison sentía predilección por su hija, cosa nada extraña en un padre. La propia Marion dijo más adelante: «Creo que fui la preferida de mi padre». A sus diez años era alta, rubia y muy agraciada. Y llegó a disponer de un coche tirado por un caballito, en el que paseaba por el pueblo a gran velocidad. La misma valentía demostraba viajando en el tren eléctrico. Era la única de los tres hijos en tener permiso del padre para visitar el laboratorio, al que solía acudir para llevar a Edison el almuerzo.

En cierta ocasión, el pequeño Tommy, de seis años, fue sorprendido por su padre entrando sigilosamente por la puerta trasera de la sala de máquinas. Edison le había prohibido la entrada a sus lugares de trabajo, por temor a que sufriera algún accidente. Comunicó a la madre que debía propinar al desobediente una buena tunda. Cuando el chico regresó al lado de Mary, la vio ya preparada para darle su castigo. El pobre niño nunca pudo comprender cómo su madre supo que había estado en el laboratorio. Edison hubiera deseado que el mayor de sus hijos, que se llamaba como él e incluso se parecía físicamente, diera muestras de una inteligencia como la suya, y de la misma voluntad y decisión. Pero el muchacho creció delicado y enfermizo. El 4 de julio, fiesta de la Independencia, era una gran día para la familia. Edison lo dejaba todo y se entregaba a sus hijos. Se levantaba a las cinco de la mañana y preparaba al aire libre un buen surtido de fuegos artificiales, que al ser encendidos alborotaban a todo el vecindario. Uno de sus hijos contaba que en aquellos momentos parecía un niño más. Al caer las chispas sobre los pies desnudos de los pequeños, papá Edison se desternillaba de risa.

LA MUERTE DE MARY

A Mary no le apenó en absoluto tener que dejar Menlo Park. Era un lugar aburrido. En el invierno de 1881 la familia se trasladó a Nueva

York. Al principio vivieron en un hotel. Luego, se instalaron en un apartamento cuyas ventanas daban al Gramercy Park. Desquitándose de su enclaustramiento, Mary solía organizar reuniones en su casa. Edison, que odiaba aquella clase de fiestas, jamás asistió a ellas.

Los dolores neurálgicos que en ciertas ocasiones habían atacado a Edison, obligándole a veces a interrumpir sus trabajos, se agudizaron en el invierno de 1883 a 1884, por lo que, cediendo a los ruegos de la esposa, accedió a tomarse unas vacaciones, eligiendo el norte de Florida. El matrimonio realizó el viaje acompañado por la hija. Tan bien le sentó el clima de St. Augustine, que volvió todos los inviernos, constituyendo aquellos descansos un verdadero placer para la familia.

Edison jamás llegó a disfrutar de un verdadero sosiego. En cuanto se iniciaba su mejoría, su mente volaba al dichoso laboratorio y se atormentaba por no hallarse dirigiendo el experimento de turno. Su hombre de confianza era el ya nombrado Insull, al que enviaba telegramas y cartas con frases como éstas: «Envíeme noticias sobre el funcionamiento del nuevo indicador de presión»... «Casi tengo la seguridad de haber hallado un medio de utilizar la energía que no se aprovecha en nuestras centrales»... «Encárguese de que Tomlinson, mi apoderado, prepare el contrato con los ingenieros»...

Durante el verano de 1885 la familia de Edison pasó una temporada en Menlo Park, que ahora la tenían como residencia de verano. Edison permaneció en Nueva York, obligado por su incesante trabajo. En julio, Mary cayó enferma de fiebre tifoidea. Al principio, no se le dio importancia. Pero después necesitó el cuidado intensivo del médico. La enfermedad se agravó. Edison lo abandonó todo y corrió a la cabecera de su esposa. Entre los recuerdos de Marion figura el de haber sido despertada por su padre en la mañana del día 9 de agosto. «Había permanecido levantado toda la noche y vi reflejado en su semblante el más inmenso dolor. Lloraba y suspiraba de tal modo, que apenas le pude entender que mamá había muerto durante la noche».

El mayor consuelo lo encontró en la vorágine de su trabajo, que lo salvó de muchas horas de pensar en la tragedia que representaba la muerte de aquella joven madre que aún no había cumplido treinta años, dejando tres huérfanos y un esposo que entonces supo lo mucho que la quería.

Desde entonces, Edison apenas volvió a Menlo Park. Era como si hubiera llegado a aborrecer aquel lugar. Los laboratorios fueron despojados de su equipo y aparatos. Poco después, el piso bajo era utilizado para establo de vacas. Con el tiempo, el edificio comenzó a desmoronarse. Un vecino, que había vivido allí en la buena época de los experimentos, solía comentar: «Es lamentable que se haya permitido que el tiempo destroce una granja tan magnífica».

VOLVER A EMPEZAR

Después de la muerte de Mary Edison, la situación de aquel viudo de treinta y ocho años, con tres hijos, fue muy penosa. Debido a su mucho trabajo, Thomas Alva Edison no podía atenderlos como hubiera sido su deseo. En Marion encontraba inapreciable compañía, pues Tom y Will vivieron una temporada en Menlo Park con una hermana de la infortunada Mary, llamada Alice.

Marion contaba que su padre la llamaba con frecuencia desde su fábrica de East Side, rogándole que fuera a hacerle compañía Y aquella jovencita de trece años de edad, muy orgullosa de saberse necesitada, se apresuraba a complacerle. Marion no se resistió a su llamada: «¿Puedes venir a verme al taller? No estudies hoy y ven». La niña tomaba los cigarros favoritos de su padre, de cinco centavos, y se dirigía a la fábrica, sabiendo que él también se interesaría por sus problemas, sus vestidos, sus estudios. Todo esto lo anotaba cuidadosamente Marion en su Diario, pues sentía aficiones literarias. «Por lo que respecta a mi educación o estudios, piensa mi padre que no es preciso que los adquiere de modo académico, sino como él, leyendo intensamente, autoinformándose. Siguiendo esta teoría, me aconseja que lea *Decadencia y caída del Imperio Romano*, de Gibbon, o la *Enciclopedia*, de Watt.»

Por aquel tiempo, Edison visitaba con cierta frecuencia la casa de un buen amigo suyo, Gilliland, que trabajaba a su lado en Nueva York, aunque poseía una mansión en Boston. Gilliland y su esposa consiguieron que el inventor recuperara la jovialidad perdida. En el invierno de 1885, Edison asistió a varias de las fiestas que dieron, que presidía la elegante y hermosa señora de Gilliland. Y comenzó a operarse una honda transformación. Para muestra, un botón: «Temiendo que la señora Gilliland llegase a pensar que todas mis camisas estaban sucias, accedí a ponerme una que me facilitó Tomlinson, una de esas espantosas camisas almidonadas». Incluso olvidó sus cómodas botas anchas y metió sus pies en unos zapatos muy apretados. «De acuerdo, son muy bonitos. Pero ¿no es necia vanidad y enfermiza locura padecer estos tormentos sólo para ofrecer una hermosa figura a costa de soportar un callado tormento?»

Sí, el inventor había cambiado mucho. Antes, todas las horas le parecían pocas para su trabajo, y ahora las perdía lastimosamente en tontas charlas de salón junto a elegantes damas y caballeros que parecían disponer de toda una eternidad para aburrirse. Hablaba de temas triviales, escuchaba música e incluso jugaba a prendas. Pero lo que más le atraía era acostarse con un buen montón de libros a su lado: *Wilhelm Meister*, de Goethe; *La Nueva Eloísa*, de Rousseau; *Memorandum inglés*, de Hawthorne; *La fisionomía humana*, de Lavater; *Las memorias de la señora de Récamier*, de la que Edison solía decir que le gustaría haberla conocido. Pero lo que, según él, le tranquilizaba verdaderamente los nevios, era la *Enciclopedia Británica*.

Edison vivía una segunda juventud. O acaso la primera. Asistía con sus amigos a las salas de fiestas de Boston o salía a pescar en yate, llevando los hombres pantalones blancos y las damas largos trajes igualmente blancos. ¿Dónde había quedado aquel incansable trabajador, aquel Thomas Alva Edison de los miles de experimentos, capaz de estar sin apenas comer ni dormir hasta dar con el descubrimiento que perseguía? ¿Qué había cambiado en él?

Podría pensarse que aquello se trataba pura y simplemente de unas vacaciones prolongadas. Había encontrado en la mansión de los Gilliland un ambiente tan acogedor, que no resistió a la tentación de disfrutar de él. No es que en sus talleres no se trabajase, o que él hubiese dejado de dirigirlos o de pensar en sus experimentos. No. Todo aquello seguía siendo la verdadera pasión de su vida y jamás se apartó de su mente. Entonces, ¿es que los Gilliland y su grupo de amistades habían conseguido transformar la forma de ser del hombre inventor? El milagro, al menos pasajero, no lo realizaron ellos directamente, sino que fueron el vehículo para que tuviera lugar: en su casa el encuentro con Mina Miller, de quien se enamoró.

En aquella época, Edison era uno de los viudos más solicitados de América. Sus negocios marchaban viento en popa y había conseguido hacer fortuna. Después de la muerte de su esposa, muchas mujeres le escribieron ofreciéndole sus corazones y sus bienes. Edison delegó en Sam Insull el trabajo de contestarlas a todas. No tardó en comprender que necesitaba una mujer que cuidase de sus hijos y de él mismo. Buscaba un hogar, una familia como la que formaban los Gilliland. Pero deseaba conseguirla empleando los mejores procedimientos.

LA APARICIÓN DE MINA

Por su parte, la señora Gilliland se había propuesto el mismo objetivo. Invitaba a su casa a muchas mujeres casaderas para que Edison las viera. A veces, llegaban a Boston de lugares tan lejanos como Ohio e Indiana. Pero el viudo no se decidía por ninguna.

Sin embargo, escribía a Unsull: «¿Quieres ver legiones de mujeres hermosas? Ven a casa de Gill». Hasta que apareció Mina Miller, hija de Lewis Miller, de Akron, Ohio, próspero fabricante de herramientas agrícolas. Dijo de ella Edison que poseía «hermosos cabellos negros y ojos grandes y deslumbradores». Estudiaba en un colegio de Boston y acababa de regresar de un gran viaje por Europa.

Los Gilliland ya habían hablado a Edison de la muchacha, e invitaron a ésta cuando el inventor llegó de Nueva York. Corrían los comienzos del invierno de 1885. Estando Edison en el salón conversando con unos amigos, entró Gilliland y le anunció: «Ha llegado Mina Miller y está dispuesta a tocar el piano para tí». Momentos después entraba la bella joven, digna y majestuosa, y Edison se adelantó a saludarla. Ella no le prodigó elogios, como lo hacían otras mujeres al ser presentadas al genial inventor, y a él le agradó aquello. Mina, con sus dieciocho años recién cumplidos, era un encanto de mujer. Y Edison se enamoró de ella perdidamente, como si fuera un adolescente.

Cuando se le suplicó que tocase algo, Mina se sentó frente al piano e interpretó unas piezas. No era ninguna virtuosa, pero lo hizo con tal seguridad y aplomo, que Edison sintió que crecía su entusiasmo por ella. Al ser preguntado por el motivo de aquella pasión, Edison confesaba: «No puedo contestar sobre las mujeres. No las comprendo ni trato de hacerlo».

Los negocios de la Compañía Edison retenían al inventor en Chicago y durante aquel invierno, en el que se registró un frío intensísimo, enfermó de cierta gravedad. Tuvo que guardar cama en el hotel a lo largo de una semana. Gilliland, que le acompañaba, consideró prudente llamar a su hija Marion. Pasado el peligro, Edison se sintió sumamente débil y pensó que en Florida recuperaría las fuerzas. El matrimonio Gilliland decidió acompañarle, y el inventor marchó con ellos y con su hija a St. Augustine, de donde hubiera regresado pronto al Norte si allí no hubiera oído hablar de la región tropical situada al Sudoeste de Florida: los Cayos y las Everglades.

Edison creyó que allí podría hallar alguna fibra vegetal con la que perfeccionar su lámpara incandescente. Emprendió el viaje con su hija y sus dos amigos y en un tren vetusto llegaron a Punta Rasa, a cuatrocientas millas de distancia. En ese punto le hablaron de las plantaciones situadas a orillas del río Caloosahatchee, con frutos tropicales y palmeras, e incluso bambúes de sesenta pies de altura. Menuda historia para un hombre como él que había enviado viajeros a los puntos más remotos del planeta para recoger muestras de bambúes. Así, no perdió tiempo en salir en una chalupa río arriba, hasta alcanzar Ford Myers, insignificante villorio rodeado de exótica vegetación. Edison se sintió un hombre nuevo entre las flores tropicales gigantescas, las palmeras reales y los mangos. Tanto le agradó el lugar, que eligió un pedazo de tierra allá mismo con el propósito de levantar una casa, que convertiría en residencia de verano.

Pero no dejaba de pensar en Mina, y continuamente hablaba de ella, hasta el punto de que se hija Marion llegó a sentirse celosa. Edison escribió: «Un vehículo ha estado a punto de atropellarme por ir pensando en Mina. Si ella sigue ocupando mi mente, tendré que hacerme un seguro contra accidentes»; a su amigo Galliland solía decirle:

«Haré la casa en la jungla de Florida y llevaré a Mina conmigo. Me casaré con ella, mis hijos volverán a tener una madre y montaré un laboratorio en medio de las palmeras y de las flores exóticas».

A pesar del gran trabajo que le daban las nuevas instalaciones eléctricas y los telégrafos especiales para ferrocarriles y barcos, buscó tiempo para escribir a la joven y luego verla en Jamestown, Nueva York, junto al lago Chautauqua, donde Mina había ido son su padre a visitar un establecimiento de evangelistas. Durante una excursión por el lago, Edison no se apartó de la muchacha, y no sólo porque únicamente podía oirla hallándose muy cerca de ella. Pronto encontró el medio de comunicarse con Mina sin que se enteraran las personas que les rodeaban.

«Nuestro noviazgo recibió del telégrafo una gran ayuda. Impuse a Mina en el código Morse, y cuando aprendió a enviar y a recibir mensajes, ya no tuvimos que emplear las molestas palabras. Nuestras secretas conversaciones se reducían a sencillas palmaditas en las manos. La declaración formal de amor tuvo lugar durante otra excursión, esta vez en las Montañas Blancas, en New Hampshire, igualmente en compañia de Marion y de los Gilliland. Marion vio a su padre declararse a la señorita Miller, valiéndose de leves golpecitos en las manos.

«Utilizando el código Morse le pregunté si quería casarse conmigo. La palabra sí es muy fácil de expresar telegráficamente y ella la empleó. Eso salí yo ganando, pues quizá no se hubiera atrevido a contestarme afirmativamente caso de haber tenido que recurrir a la palabra hablada. Nadie sospechó jamás de nuestras conversaciones, que eran muy frecuentes y de larga duración. Si hubiéramos hablado al uso, todos se habrían enterado. Nos comunicábamos frases cariñosas con entera libertad, aunque el coche estuviera lleno de personas»

Mina ya había dado su conformidad pero ahora quedaba la autorización de sus padres. Edison se había estudiado a sí mismo y llegado a la conclusión de que su felicidad dependía de aquella respuesta. El 30 de noviembre, ya en Nueva York, escribió al señor Miller pidiéndole la mano de su hija. La respuesta fue satisfactoria y el entusiasmado Edison se dedicó de lleno a hacer los preparativos.

LA SEGUNDA BODA

Manos a la obra. Se inició la construcción de una casa de invierno en Ford Myers, Florida, que él mismo planeó. Envió madera para el laboratorio que también pensaba levantar. Fue preciso construir un muelle en el río para desembarcar los materiales de construcción y los aparatos que se transportarían en barco, pues el viaje por tierra ofrecía muchas dificultades. Los Gilliland estaban tan entusiasmados como él con aquel paraíso de Florida y en unas instrucciones dadas por Edison a sus delegados en esa región, les dijo: «Construiremos dos casas frente al río, una para los Gilliland y otra para nosotros. El laboratorio y las casas para los obreros se levantarán al otro lado de la calle».

Iba a dar comienzo una nueva etapa de su vida y Edison estaba resuelto a hacer las cosas bien desde el principio. Necesitaba igualmente una mansión digna de una novia como Mina. No había que pensar en la de Menlo Park. Era demasiado sencilla. «¿Prefieres vivir en el campo o en la ciudad?», le había preguntado a Mina. «En el campo» respondió ella sin vacilar. Así, pues, Edison comenzó a buscar una mansión solitaria. Cuando creyó haberla encontrado, cierto día con nieve llevó a su prometida a West Orange a ver una hermosa finca que se alzaba sobre una loma, desde la que se dominaba toda la campiña. Había costado doscientos mil dólares, pero sus actuales dueños, los acreedores, estaban dispuestos a cederla incluso por la cuarta parte de esa cantidad. En realidad, no era una casa, sino un verdadero castillo, con enormes habitaciones e infinidad de dependencias. Fue del agrado de Mina y Edison la compró.

En febrero de 1886, en el Restaurante Delmonico, de Nueva York, tuvo lugar la despedida de soltero que sus amigos organizaron en honor de Edison. Estuvieron presentes Batchelor, Bergmann, Ed Johnson, Gardiner Sims y varios más. Hubo alegría y se brindó por la felicidad del inventor, citándose los presentes para el día 24 de aquel mismo mes, en Akron, donde se celebraría la boda.

El científico fue un trabajador incansable. Ya anciano, todavía dirigía los trabajos de sus laboratorios. En la fotografía Edison supervisa un experimento con plantas en una investigación para la obtención de caucho.

Ese día la casa de los Miller estallaba de júbilo, música y flores. El ferrocarril depositaba en la estación a una multitud de invitados, que los coches de caballos de los Miller conducía a la casa. El gran banquete fue servido por un ejército de camareros llevados de Chicago. Ofició la ceremonia un destacado ministro de la Iglesia metodista. Los vecinos de Akron tuvieron ocasión de ver por la tarde a la feliz y famosa pareja paseando por las calles.

Aunque la casa de invierno de Ford Myers no estaba del todo ultimada, en ella pasó el nuevo matrimonio su luna de miel, aislado del mundo durante todo un mes, el de marzo. En abril, Edison y Mina dejaron aquel edén y se instalaron en West Orange. El inmenso castillo pintado de rojo pronto fue llenado por Mina de cuadros y flores, embelleciéndolo, y Edison instaló en él una central individual de energía eléctrica.

Mina Miller era una mujer de más carácter que la anterior esposa de Edison, Mary, y se propuso cambiar a su marido, mejorar su tosco aspecto exterior. Luchó mucho para ello y alcanzó algunos triunfos, si bien no consiguió la obra perfecta de convertir a Edison en un muñeco de salón. El gran inventor pudo pensar que se había elevado a una posición muy alta, habiendo partido de tan bajo. Con justicia pudo sentirse orgulloso de ello. Había hecho fortuna, poseía hermosas mansiones y era el esposo de una mujer bella, culta y distinguida.

La ambición de Edison no se limitaba a la del hombre de ciencia, sino que participaba de la de los grandes industriales. Por aquel tiempo ya hablaba a alguno de sus amigos de crear otras empresas. Cierto día, estando con uno de ellos, contemplando desde los balcones de Glenmont, que así se llamaba la mansión de West Orange, el inmenso valle que se extendía ante sus ojos, le preguntó: «¿Qué opinas de este paisaje?» La respuesta no se hizo esperar: «Que es muy hermoso». Edison repuso con una sonrisa: «Pues he decidido embellecerlo más: pienso llenarlo de fábricas».

WEST ORANGE

EL GRANERO CIENTÍFICO

West Orange marcó el comienzo de un nuevo periodo en la vida de
Thomas Alva Edison, y no solamente referido a su existencia doméstica
y familiar, sino también a sus métodos de trabajo. El laboratorio de West
Orange, instalado al pie del Llevelyn Park, en las montañas de Orange,
fue concebido con miras al planeamiento y equipo de un laboratorio
modelo, que contara, además, con todos los medios financieros que
necesitase.

Edison proyectaba la construcción de una serie de industrias,
dependientes de ese laboratorio, del que nacerían todas las nuevas ideas
y perfeccionamientos. Opinaba el inventor que uno de los grandes
peligros de la fabricación era la estandarización del producto. Pensaba
que una vez conseguido un elevado grado de perfección, llegaba el
momento de mejorarlo aún más. Este proceso sin fin necesitaba del
laboratorio.

El de Orange se componía de dos edificios principales, de doscientos
ciencuenta pies de longitud y tres pisos, y otras cuatro construcciones de
veinticinco pies de largo y un solo piso. En su casi totalidad eran de

ladrillo. Se hallaban rodeadas por una alta valla, en cuya puerta se colocó un portero para impedir el paso a los visitantes inoportunos. Tan celoso resultó ser aquel portero, que cierto día no quiso abrir la puerta al propio Edison. Sucedió, naturalmente, al principio, cuando aún no le conocía, y resultaron inútiles las explicaciones del inventor. Sólo pudo pasar al salir alguien a identificarle.

Una soberbia biblioteca ocupaba asi toda la planta baja del edificio principal, con estantes de libros desde el suelo al techo y, en vitrinas, muestras geológicas y mineralógicas, y modelos empleados en los estudios de anatomía y fisiología. En otros estantes se guardaban millares de muestras de menas y minerales de todas clases, procedentes del mundo entero. Se hallaban perfectamente etiquetadas y numeradas.

Rodeando la gran sala central de la biblioteca aparecían salones secundarios, en unos de los cuales se instaló el despacho de Edison, donde por las mañanas se sentaba a leer el correo. En la misma habitación, cerca de una chimenea, había una larga mesa rodeada de sillones giratorios. Allí se celebraban las reuniones importantes con los directores de las diversas empresas o sus socios.

El proceder de Edison en tales ocasiones era el siguiente: empezaba por escuchar atentamente lo que tuvieran que decirle y luego respondía con un alud de palabras e ideas. Si convenía, tomaba unas cuartillas y se ponía a trazar diseños con suma rapidez, arrojando al suelo hoja tras hoja. Al final, se podía medir el interés de una reunión por el número de papeles que aparecía en el suelo.

Posteriormente, en 1889, Edison adquirió en la Exposición de París una magnífica estatua de mármol, que colocó a la entrada de la biblioteca. Dicha estatua simbolizaba el triunfo de la luz eléctrica sobre los demás sistemas de alumbrado y consistía en la figura de un joven de tamaño natural, sentado sobre los restos de un farol de gas y alzando victorioso por encima de su cabeza una lámpara eléctrica incandescente. A su lado se veían una rueda dentada, una pila voltaica, un transmisor telegráfico y un teléfono. Parecía lógico que llamase la atención de Edison aquella obra realizada por Al Bordiga de Roma, una obra sobre la que había pensado mucho y que en secreto ansiaba llevársela a los Estados Unidos.

En una de las habitaciones de la biblioteca, la más cercana a la puerta, Edison instaló una litera. La utilizaba para descansar en ella después de agotadoras horas de trabajo, pues nunca perdió la facultad de poder dormir rápida y profundamente. Cerca de la biblioteca se encontraba el almacén, que era, en realidad, un depósito de sustancias diversas. No se trataba de un simple museo, sino de un verdadero almacén de suministros.

El lema de Edison en aquella cuestión era: «Necesito lo que necesito, cuando lo necesito». El hombre estaba cansado de las impacientes esperas que le obligaba a sufrir la falta de determinadas sustancias en el momento más preciso.

Allá aparecían agrupadas las sustancias animales, las vegetales y las minerales. Había muestras de hilos de algodón y de seda, en infinita variedad, y tejidos de una diversidad inimaginable. En el capítulo de papeles, se encontraba desde el de seda más delgado al cartón más grueso. Toda una variedad completa de hilos, tintas, ceras, corcho, alquitrán, resina, brea, trementina, asfalto, plombagina, vidrio en láminas y tubos. Una lista inacabable.

Este almacén estaba a cargo de un empleado que no descansaba en todo el día, atendiendo los pedidos que recibía del laboratorio y de los talleres. Por este sistema, el trabajo no se interrumpía por falta de los productos necesarios en cada momento. En el almacén se encontraba todo lo que hacía falta. Algo más allá estaba el taller de máquinas, la sala de máquinas de vapor y la de calderas. En el segundo piso se montó otro taller de máquinas, donde se fabricaban los modelos que exigían mayor cuidado y precisión, y las herramientas especiales. El jefe de la sección era John F. Hott, que trabajó para Edison durante más de cuarenta años.

En el mismo piso se encontraba la sala de bombas de vacío y el taller de soplado de vidrio. En el comienzo de la escalera estaba la habitación número doce de Edison, muy sencilla, sin alfombras y con muebles baratos. Sin embargo, era uno de los refugios preferidos del inventor. Su puerta solía estar casi siempre abierta y quienes pasaban por la escalera podían verle, sentado en la mesa, embebido en el problema o problemas de turno. A su lado tenía un microscopio, que utilizaba con frecuencia. Libros con anotaciones cubrían la mesa.

En el piso superior, flanqueando el largo vestíbulo, se hallaba una serie de estancias con puertas de cristales, donde se guardaban muchas lámparas incandescentes experimentales, un gran surtido de modelos de fonógrafos, motores, telégrafos y teléfonos, contadores, y una gran variedad de inventos de Edison. Sobre la biblioteca había una inmensa habitación, que en un principio se utilizó para impresionar cilindros fonográficos, y posteriormente como sala de experimentos. A cada lado del vestíbulo se veían varias habitaciones, en las que se realizaban ensayos sobre fonografía, arte que Edison no dejó de mejorar.

UN LUGAR ELECTRIZANTE

Los cuatro edificios restantes estaban numerados del uno al cuatro. El número uno era la llamada sala del galvanómetro, destinada por Edison para realizar en ella las más delicadas mediciones eléctricas. Se trataba de un edificio cuya construcción había sido meticulosamente estudiada para proporcionar una sustentación rígida y sólida a los numerosos y complicados instrumentos en él montados. Disponía de sólidos pilares o mesas de ladrillo, que penetraban profundamente en el suelo. Cada pilar estaba cubierto por una losa de mármol negro. Su suelo era de cemento y se tomaron las mayores precauciones para librar al edificio de las influencias magnéticas. Naturalmente, fueron eliminados el hierro y el acero. Se usó el cobre para las tuberías y los accesorios de las máquinas de vapor. El edificio número uno fue, durante muchos años, el escenario donde trabajó activamente el eminente colaborador de Edison, doctor A.E. Kennelly, tiempo después profesor de ingeniería eléctrica en la Universidad de Harvard. La desgracia quiso que en Orange se inaugurara un tranvía eléctrico, cuya línea pasaba a unos setenta y cinco pies de la sala de galvanómetros, inhabilitándola para el fin a que fue destinada. Más tarde se empleó para experimentos fotográficos y cinematográficos.

Entre el edificio uno y el dos se levantaba un gran garage, y a su lado una construcción menor, con una hormigonera en el exterior. En esta pequeña construcción realizó Edison sus más importantes experimentos sobre cemento. El edificio número dos se destinó a laboratorio químico, una gran sala llena de estantes atiborrados de botellas, frascos, retortas, y otros utensilios. En un rincón, Edison instaló una mesita sencilla y una silla, donde se le veía con frecuencia absorto en algún experimento.

La mitad del edificio número tres se dedicó a la fabricación de modelos y el resto a almacén de productos químicos. Hubo una anécdota muy divertida relacionada con este edificio: cierto día, uno de los empleados que en él trabajaban, descontento con su sueldo, y cansado de solicitar inútilmente un aumento en anteriores ocasiones, se dirigió resueltamente a Edison y le amenazó en tono desesperado: «Si no me da más dinero, me envenenaré con cianuro de potasio». Edison le miró fijamente y, convencido de que no cumpliría su palabra, le contestó tranquilamente: «En el número tres hay una bombona de cinco libras». Y, claro, no hubo suicidio. El edificio número cuatro se empleó durante muchos años para experimentar en la concentración de menas y a otros trabajos toscos, como fundición. Acabó siendo un almacén general.

En su residencia de invierno de Ford Myers, en Florida, también poseía Edison un pequeño laboratorio, una copia en miniatura del de Orange, con su taller de maquinaria, su sala de química y su departamento para experiencias. Durante los treinta o cuarenta días de vacaciones invernales, Edison no perdía contacto con los trabajos que estuviera realizando, y, en consecuencia, aquellas vacaciones suyas hubieran significado para otro cualquiera un periodo normal de trabajo.

Destacaban el inmenso número de cartas que se recibía en West Orange y las incesantes visitas que allí acudían. La fama de Thomas Alva Edison había llegado a todos los continentes y un hombre famoso como él era un atractivo especial para la mayoría de las personas. Casi todas las cartas que recibía no merecían ni la pena de ser abiertas e iban directamente a la papelera. Algunos le pedían ayuda, por creerse víctimas de enfermedades eléctricas, que sólo Edison podría curar. Otros le pedían opinión sobre determinados inventos y algunos le ofrecían participación en ellos si se decidía a desarrollarlos.

En cartas procedentes del extranjero se le rogaba que buscase a familiares extraviados. Había padres que le pedían consejo acerca del porvenir de sus hijos, y presuntos genios que, por el hecho de haber maravillado a sus familiares montando un timbre eléctrico, se dirigían a él poniéndose casi a su altura. Pero la mayorías solicitaba autógrafos y fotografías. Así, durante todo el año y todos los años.

En cuanto a los visitantes, siempre encontraban a otros que les habían precedido en el mismo día y debían aguardar turno. Antes tenían que demostrar al portero que el asunto que les llevaba allí era relativamente importante. Acudían personalidades célebres de todos los países del globo: altos aristócratas, embajadores, artistas, literatos, financieros, sabios, etc. Eran también frecuentes las visitas de grupos representantes de sociedades científicas y de hombres y mujeres, intachablemente vestidos, ansiosos de fisgonearlo todo y fotografiarse junto al genial inventor.

Todo este molesto movimiento representaba para Edison una continua interrupción de sus trabajos. Era requerida su presencia y se veía precisado a abandonar lo que tuviera entre manos, a veces en el momento más crítico. Quienes acaso con más asiduidad visitaban al laboratorio eran los periodistas. La prensa norteamericana se alimentaba de sensacionalismos y era preciso entregar al público la asombrosa noticia diaria. Ello fue motivo de que se escribiera mucho de falso acerca de Edison, con tal de que fuera sorprendente.

Se inventó mucho sobre su vida y milagros, como si lo real y concreto sobre sus experimentos e invenciones no superara en mucho a lo imaginado. Se publicaron muchas entrevistas en las que Edison no tomó parte, atribuyéndosele frases que jamás había pronunciado y que le ocasionaron serios disgustos. Sin embargo, nunca se apagó el entusiasmo que sentía por la prensa y siempre estaba dispuesto a conversar con un periodista.

Los laboratorios de West Orange eran los más perfectos y grandes del mundo. La guarida preferida del ex mago de Menlo Park.

ENTRE MENAS Y CEMENTOS

MAGNETISMO

Una de las facetas acaso menos conocidas de Edison fueron sus trabajos para la trituración de menas auríferas de poca riqueza y la separación magnética de las menas de hierro. A ello dedicó muchos años de quehacer intensísimo. La empresa de comercializar las menas pobres en hierro fue uno de sus experimentos más extraordinarios y menos conocidos.

«Hace años supe que en Quogue, Long Island, se habían formado unos enormes depósitos de arena magnética negra. Entendí que serían de gran valor si fuera posible separar el hierro de la arena. Me dirigí a Quogue con uno de mis ayudantes y comprobé que, en efecto, se encontraban allí grandes lechos de arena negra, en capas de una a seis pulgadas. Había cientos de millares de toneladas. Pensé que no sería difícil concentrarla y poderla vender a buen precio. Monté una pequeña instalación, pero a poco de empezar el trabajo se desencadenó una formidable tempestad y aquella arena negra se hundió en la mar

en su totalidad. Han transcurrido veintiocho años y
todavía no ha salido».

Pero la chispa había brotado. Edison conocía el gran temor que
embargaba a los siderúrgicos del Este: estaban convencidos de que alguna
vez se agotarían los yacimientos de menas ricas en hierro, y que, llegado
ese momento, tendrían que volver a trabajar las menas pobres en hierro
magnético. Estos yacimientos se encontraban lejos de los hornos y el
transporte de un mineral del que sólo se aprovechaba un diez o un veinte
por ciento, originaba un negocio ruinoso. La única solución comercial
radicaba en la eliminación de la ganga inútil, concentrando las partículas
de hierro a ella mezcladas.

Al principio se hicieron ensayos mediante el lavado de las menas
con resultados desalentadores. Muchos inventores dedicaron sus
esfuerzos al problema. Pero hasta que Edison se interesó por él, nadie
había logrado dar con una buena solución. Comprendió desde el primer
momento que la verdadera economía se cifraba en el manejo automático
de millares de toneladas diarias. Sus predecesores habían apuntado
exclusivamente a la separación. Edison opinó que era preferible la
separación magnética de menas pobres, en gran escala, que tratar de
extraer en difíciles condiciones cantidades pequeñas de menas más
enriquecidas.

Era muy elemental el fundamento de la separación magnética. Partes
de mena (magnética) podían ser reducidas a polvo. Las partículas de
hierro que contenían se podían separar con el empleo de un simple imán.
El procedimiento de Edison era el siguiente: se comenzaba por triturar las
menas y luego se las hacía pasar en forma de corriente delgada por
delante de un imán. Las partículas magnéticas eran atraídas por éste,
separadas de la corriente y, como eran pesadas, caían a un departamento
separado, mientras que la ganga no magnética seguía su camino. La
separación así obtenida era perfecta.

El principio era sencillo. Su aplicación a enormes masas de mineral
presentaba complicados problemas de ingeniería. Aquí también se puso
de manifesto el genio de Edison. Fabricó una ingeniosísima instalación
de cuatrocientos ochenta imanes, logrando concentrados de noventa y
uno a noventa y tres de óxido de hierro y proyectó la maquinaria

secundaria y métodos y procesos fundamentales. Una pequeña parte de las innovaciones que implantó en el eficiente mecanismo fueron tres rodillos gigantes para triturar, rodillos intermedios, tres rodillos altos, grúas gigantescas de 215 pies de recorrido, secador vertical, transportadores de correa, separación de aire, separación mecánica del fósforo y formación de briquetas.

Una demostración de la justicia que se hizo a su obra ya por entonces se encontraba en el artículo publicado el 28 de octubre de 1897 en The Iron Age:

«No hay mucho que atraiga a la opinión pública en la obra monumental desarrollada por el señor Edison en el transcurso de los últimos años. Pero a los ojos de los entendidos se aparece como un inteligentísimo ingeniero constructor, con el talento suficiente para resolver problemas técnicos y comerciales del más alto interés. Su genio inventor se hace ostensible en muchos detalles de su gran instalación. Pero acaso su mayor originalidad radique en su osadía al rechazar los métodos usados hasta ahora e imponer los suyos, con resultados jamás conseguidos hasta el presente. Por añadidura, su sistema es económicamente rentable».

Edison no tenía dudas:

«Estoy convencido de que en el Este existen grandes cantidades de magnetita, la cual, una vez triturada y concentrada, abastecería a todos los hornos de fabricación de acero. Fabriqué una aguja magnética muy sensible, con la virtud de señalar hacia tierra si se encontraba sobre una masa considerable de menas de hierro magnético. Visité con un ayudante muchas minas de Nueva Jersey, sin encontrar yacimientos importantes. Hasta que un día, al cruzar una cordillera en cuyas tierras no se sospechaba que hubiera hierro, recibí la gran sorpresa al advertir que la aguja era atraída fuertemente por el suelo, descubriendo que estábamos pisando grandes masas de menas magnéticas».

«Adquirí una gran parte de aquella propiedad y organicé una amplia exploración magnética del Este, la más importante hasta entonces realizada. Con un equipo de hombres expertos registré cuidadosamente la franja comprendida entre el bajo Canadá y la Carolina del Norte, llevando como único instrumento la aguja magnética especial. Al término de la exploración, disponíamos de un completo mapa acerca de la exacta localización de los invisibles yacimientos de hierro magnético y de su riqueza, así como también su anchura, longitud y profundidad aproximadas. De la riqueza que allí se encerraba da idea el hecho de que en los dieciséis mil acres que adquirí había suficiente mineral para abastecer toda la industria siderúrgica de Estados Unidos, incluyendo las exportaciones, durante setenta años.»

INVENTIVA

Edison adivinó que la verdadera solución del problema consistía en el tratamiento continuo del material, empleando al máximo los fenómenos naturales y al mínimo el trabajo manual y la fuerza generada. Siguiendo este principio, en su instalación empleó principalmente la inercia y la gravitación, sin que los hombres tuvieran necesidad de tocar el mineral con sus manos durante todo el proceso. Dado que para el nuevo sistema se carecía de la maquinaria precisa, Edison la tuvo que crear. Aparte de la excavadora de vapor, las calderas, máquinas de vapor, motores y dinamos, todo lo demás fue especialmente construido: una diversa y compleja maquinaria que por sí sola hubiera bastado para proporcionarle renombre internacional.

Casi todo era allí nuevo, pero principalmente el método para la trituración de las menas. Hasta entonces se comenzaba por destrozar la roca con fuertes explosivos, obteniendo fragmentos de unas cien libras, que luego eran triturados, utilizando la fuerza aplicada directamente.

Edison alteró el sistema y concibió la idea de emplear unos rodillos gigantescos, capaces de triturar rocas mucho mayores. Se practicaban en la roca varios agujeros de tres pulgadas de diámetro y veinte de profundidad, situados a ocho pies de distancia uno del otro, y se introducían en ellos cartuchos de dinamita. La explosión desprendía de treinta a treinta y cinco toneladas de rocas, que grandes palas de vapor cargaban en vagonetas y acababan en la fábrica de trituración, en los enormes rodillos, que desmenuzaban en breves segundos los grandes fragmentos de roca.

El ruido que producían era casi insoportable. Todo el mundo procuraba alejarse mientras trabajaban. Lo hacían con tanta potencia que, a veces, lanzaban a veinte o veinticinco pies de altura rocas de más de media tonelada. Estos gigantescos rodillos eran dos cilindros sólidos de seis pies de diámetro y cinco de longitud, de hierro fundido. En su superficie llevaban gruesas placas de hierro templado, sujetas con pernos, con salientes de dos pulgadas. Disponían igualmente de otras protuberancias, con las que se descargaban golpes semejantes a martillazos. Los rodillos se hallaban colocados frente a frente, muy próximos, y entre ellos y el soporte se alcanzaban las ciento treinta toneladas de peso.

Después de dejar los grandes rodillos, las rocas desmenuzadas pasaban a otros menores y finalmente al secador, una torre de cincuenta pies de altura que unos hornos abiertos calentaban desde abajo. El secador fue también un ivento de Edison. Gracias a un ingenioso sistema de placas de hierro fundido, el mineral alcanzaba la base de la torre completamente seco y allí era tomado por unos transportadores, que lo conducían a los separadores magnéticos, previo el paso por un tamizado que devolvía las partes gruesas a los rodillos para sufrir una nueva reducción.

Sin duda, era un complicado proceso inventado por Edison para la trituración de menas y separación magnética del óxido de hierro. Por formar parte de este gran mecanismo acaso quedaran en un segundo plano otros dos inventos suyos, fundamentales para aquel plan general: la grúa gigante móvil de formidable envergadura y capaz de levantar pesos de diez toneladas. Fue la primera en su género y la que sirvió de modelo a todos los posteriores. El segundo invento se trataba del transportador de correa, desarrollado luego por un ingeniero, con el oportuno permiso de Edison.

Cuando se estaba procediendo al montaje de la fábrica, no fue uno de los inconvenientes menores la dificultad de retener a los obreros en un lugar alejado de la civilización. Todos desertaban a los pocos días, poniendo en peligro la marcha de la empresa. «Si deseamos que los hombres sigan con nosotros es preciso proporcionar a las mujeres un ambiente agradable. Construiremos casas con agua corriente y luz elécrica, y las alquilaremos a precios módicos». Así, Edison mandó construir un prototipo de casa y en seguida se construyeron cincuenta más, semejantes, incluyendo su descripción en los anuncios solicitando obreros. En sólo tres días se recibieron trescientas cincuenta solicitudes y en adelante ya no constituyó problema alguno retener a los hombres.

UN HOMBRE TENAZ

Edison nunca se daba por vencido. Quienes le trataron de cerca aseguraron, incluso, que le agradaba luchar para vencer las dificultades. No le gustaban los problemas sencillos sino los complicados. Y mejor todavía si sus contemporáneos los consideraban de solución imposible. Era extraordinariamente tenaz. Cualquier barrera era un reto a su voluntad de vencer. Incluso si la barrera se reducía a la realización de una carambola de billar.

El amigo Mallory decía:

«En cierta ocasión, Edison me vio jugar al billar en un bar de una estación de ferrocarril y unos días después me invitó a jugar una partida en la sala de billar de su casa. El nunca había cogido un taco y yo dominaba el juego. Realicé una serie de carambolas y dejé las bolas en una posición bastante difícil para un aficionado, una de ellas en un extremo y las otras dos en el opuesto. Edison debía jugar con la primera. Tiró, falló, y colocó la bola en la posición primitiva. Volvió a tirar, volvió a fallar, y vuelta a situar la bola

donde estaba. Así, hasta que consiguió no sólo tocar
las otras dos bolas, sino hacer carambola. Pareció
quedar muy aliviado y me dijo soltando el taco que
ya había jugado lo suficiente».

¿Qué diablos se hizo de aquella formidable instalación industrial por
la que había entregado su alma y a la que dedicó tantos años de esfuerzos?
Había sido creada para triunfar. Pero pareció fracasar. Sucedió que se
descubrieron grandes yacimientos de ricas menas Bessemer en la
cordillera de Mesaba, en Minnesota, y pronto comenzó a explotarse uno
de ellos. La aparición del nuevo producto en el mercado coincidió con el
de Edison. Eran las menas de Mesana tan ricas y costaba tan poco su
extracción que el precio descendió de seis dólares y medio a tres dólares
y medio dólares la tonelada. Edison había pensado vender su mineral a
seis dólares y medio y el nuevo precio le arrebató toda posibilidad de
ganancia. Todo el ingenio empleado, el esfuerzo, el dinero, había que
darlos por perdidos. Al conocer la desastrosa noticia, Edison sonrió
amargamente. Su pérdida monetaria se elevaba a dos millones de dólares,
sin contar los centenares de miles de deuda.

Y exclamó: «De acuerdo, Que todo el mundo suspenda el trabajo.
Cerraremos la fábrica». Sin embargo, la fábrica siguió trabajando durante
algunas semanas más. Era preciso cumplir con el último pedido, aún a
costa de perder dinero, pues al precio de quiebra había que agregar el que
sus minas ya no proporcionaban un mineral con la riqueza del primero.
Todos los males del mundo parecían haberse confabulado contra él.
Además, si continuó trabajando durante aquellas semanas se debió a que,
como hombre de ciencia que era, deseaba averiguar a qué precio le
resultaba su ganga de hierro.

En aquel último periodo ocurrieron dos lamentables desgracias; un
almacén se derrumbó, matando a cuatro hombres; y al reparar una
máquina trituradora, un excelente mecánico fue alcanzado por el asidero
de hierro, quedando destrozado. Después de aquel tremendo golpe,
Edison ordenó suspender los trabajos. Había entregado cinco años de su
vida a aquella empresa, abandonando todas sus demás investigaciones e
intereses. Se trató de un desastre inmenso, en el que perdió todo ese
tiempo y además la fortuna reunida gracias a sus inventos. Había pasado
de la prosperidad a la ruina.

«Jamás me he sentido mejor que en estos últimos
años. El trabajo era duro, no había diversiones que
me tentasen, distrayéndome en mi labor, respiraba
aire puro y me alimentaba con las sencillas comidas
del personal. Todo perfecto para rejuvenecer un
organismo».

En 1899 se dirigió con Mallory a desmontar la fábrica y recoger la maquinaria que pudiera ser aprovechada. Estaba de buen humor y hablaba de sus próximos proyectos con envidiable espíritu juvenil.

«Me queda el recurso de encontrar trabajo de
telegrafista, con setenta y cinco dólares al mes»,
le decía a Mallory.

Pero aún le quedaba su talento y su laboratorio. Estaba resuelto a pagar su deuda, que ascendía a trescientos mil dólares, «porque todas las compañías a las que yo he pertenecido siempre han pagado a los acreedores y voy a instalar unos modernos talleres para la fabricación de cemento portland siguiendo un nuevo sistema». Eran tiempos duros, muy duros. «Lo perdí todo pero lo pasé estupendamente».

LA AVENTURA DEL CEMENTO

Su padre, Samuel Edison, había muerto tres años antes, en 1896, a la avanzada edad de noventa y dos años, tiempo más que suficiente para haberse repuesto de la sorpresa de ver convertido en un genio de consideración universal al muchacho que en aquellos primeros años le traía de cabeza y al que auguró un futuro calamitoso. En 1890 Edison tuvo un nuevo hijo, llamado Charles, que se parecía físicamente a él, y el último en 1898, al que puso el nombre de Thewodore.

¿Qué había sido de los otros dos, los hijos de Mary? El mayor, Tom, llevaba una existencia insegura, moviéndose de un lado a otro sin encontrar acomodo. Se casó, no fue feliz en su matrimomio y llegó a deber una importante cantidad de dinero. Su padre acudió en su ayuda y restableció la situación. En cuanto a Will, el alto y fornido Will, se enroló para combatir en la guerra hispanoamericana y enfermó de fiebre amarilla. Marion vivía con su padre y con su madrastra, aunque era evidente que nunca llegó a simpatizar con ésta. Más tarde, al ser enviada a estudiar a Europa, no quiso regresar a América y se casó con un oficial alemán. A Edison todo esto le causaba serias preocupaciones. Pero, por fortuna, su mente siempre se evadía a su otro mundo, el de los inventos, en el que encontraba la paz en medio de sus agitaciones.

La industria del cemento era muy antigua, y Edison se introdujo en ella por afanes comerciales, para enderezar su maltrecha economía. Sin embargo, la enriqueció con valiosos innovaciones, hasta el punto de que, cinco años después, su fábrica ocupaba el quinto puesto entre las de los Estados Unidos. Ya había llamado su atención el cemento antes de dedicarse a su fabricación. En cierto momento había dicho: «La madera se pudrirá, se cuarteará y desmoronará la piedra, se desintegrarán los ladrillos. Pero el cemento armado parece indestructible. Fíjense en las antiguas termas romanas: se mantienen tan sólidas como en el día de su construcción». Sabía que el cemento se empleaba más cada día y él poseía una gran experiencia en la trituración y manipulación de grandes masas de mineral, adquirida en los años anteriores.

«Ocúpese de reunir socios con suficiente dinero para la creación de una fábrica, que yo me encargaré de los tecnicismos», ordenó a Mallory. Éste le aconsejó contratar ingenieros para la organización de la fábrica.»Yo me encargaré personalmente de eso», contestó Edison. Y le condujo a la sala de dibujo. Allá mismo estaba trazando el plano de las obras. Trabajó en ello durante todo el día y parte de la noche, hasta concluirlo. Se trató de otra genialidad de las suyas: a pesar de ser un novato en aquella industria, la planificación que creó en unas pocas horas resultó tan perfecta en la práctica, que apenas hubo que hacerle modificaciones. Sin embargo, la fábrica era inmensa, pues de un extremo al otro medía casi un kilómetro, los materiales eran movidos de modo automático y su producción sería de más de dos millones y cuarto de libras de cemento cada veinticuatro horas, trabajando sin interrupción los siete días de la semana.

Una de sus más importantes aportaciones a aquella industria fue el nuevo sistema de lubricación de toda la maquinaria. «La lubricación que se usa actualmente origina mucho gasto y desperdicio y los cojinetes se llenan de polvo», solía decir. Ideó un método para engrasar automáticamente los diez mil cojinetes de la fábrica, operación que sólo requería el empleo de uno o dos hombres. Lo logró instalando una bomba y un filtro especiales, haciendo que el aceite regresara a su punto de partida después de cumplir su misión de lubricar, gracias a la gravedad. Fue el primer sistema en su género que se empleó.

Sospechando que el uso frecuente del mismo aceite le despojaría de sus cualidades, consultó el caso con los técnicos de la Standard Oil Company, quienes le aseguraron que así sucedía, en efecto, y entonces Edison dispuso el sistema para emplear una gran cantidad de aceite, al que dejaba reposar algún tiempo antes de usarlo de nuevo.

Tan cuidadosamente lo había planeado Edison, que cuando se necesitó construir una nueva sección de envase y empaquetado, los dirigentes de la Compañía resolvieron realizar una investigación en otras fábricas, con el fin de comprobar si existía algún método mejor de empaquetado. El resultado fue el convencimiento de que no podría mejorarse el procedimiento de Edison. La nueva sección se construyó igual que la antigua. Otra de las innovaciones que introdujo en la fabricación de cemento fueron los rodillos gigantescos de trituración, ya mencionados. Obtuvo con ellos una gran economía, pues en otras fábricas el límite máximo de los fragmentos de piedra estaba marcado por la posibilidad de ser levantados por un hombre.

CASAS BARATAS

Los tipos de horno que entonces se usaban sólo producían doscientos barriles de cemento cada veinticuatro horas. Considerando Edison que esta producción era insuficiente, se propuso elevarla hasta los mil barriles. Trabajó intensamente en el proyecto y logró construir un tipo de horno de ciento cincuenta pies de longitud y nueve de ancho. En las primeras pruebas sólo se produjeron cuatrocientos barriles en veinticuatro horas, con gran decepción de Edison. Cuando los técnicos y los obreros se familiarizaron con el horno, se obtuvieron quinientos cincuenta barriles, y enseguida se pasó a obtener seiscientos cincuenta.

Pero como había sido proyectado para producir mil barriles, Edison no estaba satisfecho.

Aquella vez también acertó, porque algún tiempo más tarde se alcanzó la cifra de mil cien barriles. Al principio, los demás fabricantes de cemento se mofaban de las pretensiones del inventor. Pero una vez visto el éxito del nuevo horno, todos adoptaron el procedimiento, incluso sin su permiso. También prestó cuidadosa atención a las mezclas. Para la fabricación del cemento se mezclan la roca y la caliza en proporciones adecuadas. Estas proporciones vienen dadas por los análisis químicos y luego, en la práctica, las cargas se medían por capazos. Edison nunca quiso trabajar con cantidades aproximadas y decidió mejorar el sistema. Los componentes de la mezcla serían pesados y, para evitar que el obrero encargado de estos pesajes se distrajera, montó en los brazos de la balanza un dispositivo eléctrico que cerraba automáticamente las tolvas una vez que hubiera caído en la balanza la cantidad calculada.

Frecuentemente, Edison sorprendía a los directores de las empresas y a los técnicos al decirles que todavía podía mejorarse el proceso de fabricación, cuando todos pensaban que había alcanzado una altura insuperable. Opinaba que cualquier producto, por perfecto que pareciera, era susceptible de mejoramiento. Con la fabricación de cemento sucedió lo mismo: no dejó de estudiarla un solo momento. Y lo hacía sin abandonar los demás trabajos que le ocupaban. A su laboratorio de Orange le llegaban las noticias que los técnicos le enviaban desde la fábrica, de modo que se hallaba tan al tanto de los incidentes como si estuviera en ella. Y, a distancia, proponía mejoras que dejaban boquiabiertos a sus colaboradores por su perfección.

Cierto día giró una visita de inspección a la fábrica, que duró una jornada entera. La recorrió de extremo a extremo, observándolo todo, pero sin tomar ninguna anotación. De vuelta a su casa, redactó una larga lista de instrucciones, no menos de seiscientas, que envió a la fábrica para que se cumplieran. A su debido tiempo, se demostró que todas fueron muy oportunas y eficaces. Había tenido Edison algunas dificultades con las compañías de seguros, que se negaban a aceptar riesgos de incendios de sus edificios de madera si no cobraban unas tarifas elevadísimas. Cuando logró reducir el coste del cemento, pensó en construir de nuevo sus fábricas, pero esta vez de cemento. Así, los

161

incendios quedaban descartados y podían olvidarse de las compañías aseguradoras. A partir de 1906 se fueron levantando doce fábricas alrededor de su laboratorio de West Orange, construidas de acero y cemento armado.

Esas construcciones le inspiraron la idea de fabricar casas de cemento fluido, aptas para ser montadas en seis horas contando con la maquinaria necesaria. Su propósito era construir viviendas baratas para obreros, a una escala masiva. «Serán unas casas decentes, de seis habitaciones, y su precio no rebasará los trescientos dólares», decía. Construyó unos moldes de hierro fundido y la maquinaria precisa para realizar las mezclas y verter el hormigón y levantó algunas de esas casas en las proximidades de West Orange. Su aspecto era sencillo y a muchos les resultaron poco atractivas. Edison respondió: «Quedarán adornadas cuando metamos en ellas al obrero con su familia Y los exigentes podrán colgar por poco dinero unos adornos en la fachada».

Durante más de cuarenta años, Edison se había dedicado a la invención con fines comerciales, aunque después se afanó exclusivamente en la investigación pura, en la científica. Las casas de cemento se crearon en la primera época, si bien en ningún momento abrigó el propósito de obtener beneficios de ellas. Las construyó únicamente pensando en el bien de los obreros, proporcionándoles unas viviendas agradables y cómodas, cuyo alquiler no se elevaría por encima de los diez dólares mensuales, cualquiera que fuera el lugar donde se construyeran.

DE CINE

ILUSIONES SONORAS

El fonógrafo, el teléfono y la luz eléctrica fueron intuidos mucho tiempo antes de su realización. Lo mismo sucedió con la posibilidad de fijar imágenes animadas y luego reproducirlas. El nacimiento de las imágenes animadas se produjo alrededor de 1780, en Francia. Plateau construyó un juguete óptico que producía una ilusión de movimiento. Le puso un nombre terrible: «Fenakistoscopio». Su sucesor fue el «Zootropo», aparecido en 1845.

Ambos aparatos tenían como fundamento el fenómeno ocular conocido por persistencia de la visión: al mover una luz en una habitación oscura, el ojo no la verá como tal punto de luz, sino como línea luminosa. Ello se debe a que en la retina del ojo los imágenes permanecen, antes de borrarse, un tiempo que oscila entre 1/10 y 1/7 de segundo. Si una serie de imágenes o fotografías son ofrecidas sucesivamente al ojo, en la retina quedará fijada una sola fotografía continuada, siempre que se cuide que el tiempo de aparición entre una fotografía y la siguiente sean lo suficientemente breves para impedir que la primera se borre antes de ser registrada la segunda. Si se ofrece al ojo una serie de fotografías de un objeto en movimiento, representando cada una de ellas una fase de ese movimiento, éste se reproducirá en el ojo. En los tiempos gloriosos del Zootropo se desconocía la fotografía instantánea y se empleaban dibujos representando determinados movimientos. Todo empuja a pensar que, habiéndose descubierto esta ilusión de movimiento, al conocerse la fotografía instantánea habría llegado de inmediato la producción del verdadero movimiento. Pero no sucedió esto. A Edison le correspondió el honor de relacionar los dos factores.

En 1864 Ducos obtuvo en Francia la patente de un invento, que él mismo describía así:

«Consiste en sustituir velozmente y con toda claridad para el ojo, las imágenes aumentadas de muchísimas fotografías tomadas instantáneamente y a muy cortos intervalos. Los ojos de los espectadores registrarán una sola imagen, que cambia gradualmente merced a las alteraciones sucesivas de forma y posición de los objetos. Mi aparato puede reproducir el paso de una procesión, una parada o unas maniobras militares, los movimientos de tropas en una batalla, un mitin, una representación teatral, las alteraciones de expresión de un rostro, el movimiento de las olas, el discurrir de las nubes por el cielo, la erupción de un volcán, etc.».

Nada práctico consiguió Ducos ni otros contemporáneos. El primer ensayo formal de conseguir una ilusión de movimiento, valiéndose de fotografías, lo realizó Edward Muybridge, en 1878. Trabajó movido por una apuesta hecha con el senador Leland Standford, apasionado de los caballos, el cual aseguraba que uno de estos animales al trote se despegaba por completo de la tierra en algunos momentos. Se dispusieron varios aparatos fotográficos a lo largo del camino a recorrer por el caballo, siendo él mismo quien dispararía las máquinas al tropezar a su paso con unos alambres hábilmente colocados. Se obtuvieron así varias fotografías muy claras que, montadas en un Zootropo, fueron proyectadas sobre una pantalla.

El Scientific American del 5 de junio de 1880 describió del siguiente modo uno de estos experimentos: «Aunque se componían de diversas fotografías sucesivas reproduciendo las distintas posiciones del caballo al trote, el zoogiroscopio proyectó sobre la pantalla la figura de un caballo en pleno movimiento. Sólo faltaba el golpeteo de los cascos contra el suelo y el sonido de la respiración del animal».

Muybridge no consiguió más que un ciclo de movimientos porque debía usar un aparato fotográfico para cada toma. En el caso del caballo al trote, para obtener fotografías a la moderada velocidad de doce por segundo, el sistema Muybridge hubiera necesitado setecientos veinte aparatos fotográficos. Hoy basta uno sólo. En 1880 comenzó a usarse la placa seca, y el profesor E.J. Marey, de la Academia Francesa, perfeccionó con ella los experimentos de Muybridge, consiguiendo con un solo aparato doce fotografías, en placas sucesivas, en un segundo. Hasta aquí había llegado el arte de las imágenes animadas cuando Edison empezó a prestarles atención.

«En 1887, pensé que sería posible crear un aparato que fuese para el ojo humano lo que el fonógrafo para el oído: combinando los dos instrumentos, se registrarían los sonidos y los movimientos. La inspiración me la proporcionó un juguete llamado *Zootropo*, e igualmente los trabajos de Muybridge, Marey y otros. El kinetoscopio no es más que una fase en el proceso ascendente en este campo, pues no pasa mes sin que surjan nuevas posibilidades. Creo que con mis esfuerzos y los de Dickson, Muybridhe, Marey y otros, se podrá conseguir una representación de la gran ópera en el Metropolitan Opera House de Nueva York sin diferencias con el original y con cantantes y músicos ya muertos».

W. K. L. Dickson era un joven que, procedente de Londres, hacía varios años que trabajaba a las órdenes de Edison. Realizaba muchos experimentos fotográficos, en cuyo arte era un experto, y andaba tras una cámara que registrara debidamente el movimiento. Durante una conversación sostenida entre Dickson y Edison, éste le expuso su proyecto de crear una máquina, semejante al fonógrafo, que pudiera registrar fotografías de objetos en movimiento, acompañadas de sonidos. Pocos días después, Dickson viajaba a Londres para adquirir un equipo fotográfico especial y en una habitación del piso alto del edificio número 5 de West Orange se dispuso un espacio para experimentar con los nuevos aparatos.

El 8 de octubre de 1888 escribía Edison en sus notas:

> «Estoy experimentando con un aparato que producirá
> a la vista el mismo efecto que produce el fonógrafo al
> oído, pues registra y reproduce las cosas en
> movimiento. Lo llamo cinematógrafo, movimiento
> visual. Fotografío series de movimientos en una espiral
> continua sobre un cilindro o placa, a semejanza de
> cómo se registra el sonido en un fonógrafo».

Al cabo de unos meses de experimentos, Edison tuvo una clara visión de los que necesitaba, aunque no todavía del modo de conseguirlo. Sabía ya que mientras su fonógrafo funcionara, una cámara fotográfica debía marchar de modo especial, deteniéndose a intervalos y poniéndose nuevamente en funcionamiento, coincidiendo con la persistencia de visión del espectador. Después de incontables resultados desesperantes, el aparato cilíndrico registró algunas fotografías en movimiento. En el laboratorio Edison se conservaba un fragmento de uno de los primeros modelos, con una sensible lámina de celuloide sujeta a un cilindro metálico. En esas fotografías aparece el colaborador de Edison, John Ott, cubierto con una tela blanca y moviendo cómicamente los brazos. Eran fotografías aún muy imperfectas, pero Edison sabía que se hallaba en el buen camino.

Su instinto le señaló desde el comienzo que no le convenía experimentar con las rígidas y frágiles placas de cristal usadas hasta entonces. Y realizó pruebas con otros materiales fotográficos. Su trabajo experimentó un gran avance cuando llegó a sus manos la placa seca de John Carbutt, consistente en sólidas láminas de celuloide y su flexibilidad permitió que fueran arrolladas al cilindro de Edison.

Pero en 1889, tando Edison como Dickson llegaron al convencimiento de que debían olvidarse del cilindro y crear un nuevo aparato que, mientras una cinta de celuloide pasara por el plano focal de la cámara, produjera el movimiento de puesta en marcha y detención del obturador. La decisión de cortar en tiras las películas de Carbutt y unirlas por sus extremos, fue fundamental para los experimentos. George Eastman, de Rochester, Nueva York, perfeccionó la película de celuloide y fue el inventor de la cámara instantánea Kodak. Edison envió a Dickson a Nueva York para obtener una muestra de la película de Eastman y posteriormente hizo encargos a éste de películas de cincuenta pies de longitud. Cuando recibió la primera, una amplia sonrisa iluminó su rostro y exclamó: «¡Ya es nuestro. Ahora vamos a trabajar como bestias!»

NEGRA MARÍA

En agosto de 1889 ideó un ingenioso mecanismo para producir el movimiento de la película: unas perforaciones en uno de los márgenes de ésta le permitían que una rueda dentada la sincronizara con el eje principal. Un mecanismo de relojería movía y detenía la película alternativamente. Al detenerse, un obturador giratorio ajustado al eje principal se movía para permitir la exposición.

Aún tuvo que vencer muchas dificultades mecánicas, pero cuando finalmente logró el aparato soñado, todo el mundo quedó admirado de su simplicidad. La tira de película cinematográfica resolvía los dos inconvenientes fundamentales de aquel arte: registrar fotofrafías en movimiento y luego proyectarlas.

Posteriormente, Edison encargó a sus ayudantes la construcción de una cámara mayor y más perfeccionada, con la que se tomaban fotografías de diecinueve milímetros de altura y veinticinco milímetros de anchura. Era la máquina de la que derivaron todas las cámaras cinematográficas modernas, siendo la anchura de 35 milímetros de película la que se emplea en la actualidad.

Su trabajo en otros inventos y perfeccionamientos impidió que no solicitara la patente para sus primeras cámaras cinematográficas de 1889 hasta junio de 1891, y las patentes de aplicación eran muy imperfectas. Por aquel entonces, cuatro de sus empleados se pasaron a una empresa rival, que también fabricaba cámaras cinematográficas. Cuando Edison exigió que se le reconocieran sus derechos sobre el invento, esa empresa acudió a los tribunales. Alegaron, entre otras cosas, que era a Dickson a quien correspondía la mayor parte del mérito de aquella invención y que en lo presentado por Edison no había nada que no hubiera sido hecho anteriormente por otros investigadores.

El propio Edison había manifestado su agradecimiento a Marey y a Muybridge y los reconoció como sus precursores. Pero fue Edison quien puso en marcha el arte y la industria cinematográfica, con sus eficaces aportaciones en un campo ya hollado por otros. Su gran mérito consistió en el empleo de un solo punto de mira, fijado en el objetivo de la cámara. Gracias a ello, una figura andando ante un paisaje podía ser seguida con el aparato sin que el escenario del fondo produjera la impresión de pasar ante la vista como los movibles del teatro antiguo. Otro gran prodigio fue la adaptación de la cámara instantánea y la película de celuloide de Eastman, transformada en tiras. Allá se repitió lo que hizo de Edison un auténtico genio: su inteligencia para recoger ideas o aparatos ya existentes y crear con ellos cosas enteramente nuevas y prácticas. También construyó Edison lo que podría denominarse el primer estudio cinematográfico del mundo, un feo barracón de madera, cuyo techo, provisto de bisagras, se levantaba para dar paso a la luz del sol. La construcción tenía cincuenta pies de longitud y descansaba sobre un eje giratorio para poder moverse siguiendo la marcha del sol. Las paredes de este extraño edificio se cubrieron con papel negro untado con brea. La alfombra que se colocó en uno de sus extremos también era negra. El equipo de Edison le dio el nombre de Negra María.

Allá se proyectaron muchas películas en 1893 y 1894, tomadas tanto de la vida real como de la de los animales. Uno de las primeras estrellas fue Gentleman Jim Corbett, gran campeón de boxeo, que actuó ante la cámara combatiendo contra un púgil desconocido, contratado sin advertirle quién sería su adversario. Al llegar a West Orange y descubrir que su oponente era el terrible Jim, el pobre hombre echó a correr hacia su pueblo. Fue preciso encontrar con penas y fatigas un sustituto. Al final, la famosa película se realizó. También se filmó la actuación del forzudo Sandow, de unos bailarines japoneses y de un ballet femenino francés. La primera película del Oeste la protagonizó Buffalo Bill con sus indios. Se contrataron igualmente acróbatas y tiradores de cuchillo. Entre las películas de animales figuró una pelea de gallos. A aquel equipo de cineastas también le cupo el honor de filmar el primer documental, tomando vistas reales de la vida en Valley Road, West Orange. En 1897 se hizo una película de Edison en su laboratorio, hablando con sus ayudantes y dándoles instrucciones, con una mano detrás de la oreja para oir mejor. Incluso se filmó una batalla feroz entre ingleses y boers de Sudáfrica en las inmediaciones de los laboratorios, con gran regocijo del eterno niño que siempre fue Thomas Alva Edison.

LA FIEBRE DE
LOS INVENTOS

EL SUEÑO DEL COCHE ELÉCTRICO

«Si se pudieran realizar todas mis ideas, arruinaría al Banco de Inglaterra», aseguraba Edison. Una de sus mayores angustias era pensar que no dispondría de años suficientes para llevar a cabo todos los nuevos inventos que bullían en su mente. «Ya tengo suficiente con perfeccionar los que ya han nacido», comentó en alguna ocasión. Dirigía desde cerca sus empresas y el trabajo de sus ayudantes, que no cesaban de investigar. Pero eso no era obstáculo para que, de pronto, su mente saltara hacia un nuevo problema. Y cierto día les correspondió el turno a las baterías del coche eléctrico.

El primer encuentro de Edison con Henry Ford tuvo lugar en 1896, en la playa de Manhattan, Nueva York, con motivo de una reunión de los miembros de la compañía Edison Illuminating, la asociación comercial de electricidad que reunía a las empresas que empleaban el sistema Edison. Entonces Ford estaba empleado como mecánico jefe en la central de energía de la Compañía Edison en Detroit. El director de esta Compañía, Alexander Dow, dijo al inventor: «Aquí tiene usted a un joven que ha fabricado un coche con el motor de gasolina». Edison observó a quien se estaba refiriendo, un muchacho delgado, de piernas largas y ojos azules, que le miraba con no disimulada admiración. «Estoy empeñado én que haga un coche eléctrico y lo conseguirá, pues es un magnífico electricista», siguió diciendo Dow.

Henry Ford sentía una profunda veneración por Edison desde hacía muchos años. Le tenía por el más importante de los inventores y deseaba imitarle. Se sentaron juntos y hablaron largo y tendido del coche sin caballos. Cuando Ford le explicó su idea del motor de explosión en cuatro tiempos con gasolina como combustible para mover el coche sin caballos, Edison dio un puñetazo sobre la mesa y exclamó: «Joven, esa es la cosa precisa. Siga adelante. Su coche es sencillo y lleva dentro la energía y la maquinaria sin fuego, sin caldera, sin humo, sin vapor. Ha dado en el clavo». Años después, Ford reconocería que aquel puñetazo valió un mundo y le animó a seguir en su carrera.

En 1859, Planté, en Francia, descubrió el principio elemental del acumulador. Se dio cuenta que introduciendo dos placas delgadas de plomo en ácido sulfúrico diluido y haciendo pasar una corriente eléctrica a través de esas placas, el conjunto tenía la propiedad de devolver una parte de aquella corriente. Poder almacenar la corriente eléctrica producida por las dinamos representaba un asombroso adelanto. Lo más importante tuvo lugar en 1880, cuando Faure en Francia y Brush en América desecharon el viejo procedimiento de formar las placas y se las ingeniaron para suministrarlas ya preparadas.

Sin embargo, aquellos primitivos acumuladores de plomo y ácido sulfúrico seguían siendo pesados y corrosivos. El propio Edison, años antes, los había rechazado. Pensaba que el motor de gasolina de los coches era demasiado caro si se le comparaba con el motor eléctrico. Pero también sabía que las baterías de entonces eran igualmente ineficaces. Empezó a pensar en la posibilidad de inventar él mismo una adecuada. «Supongo que la naturaleza no será tan arisca como para retener el secreto del acumulador cuando alguien lo busca con verdadero interés. He pensado trabajar en ello».

Quizás el invento que más esfuerzo costó a Edison fuera el acumulador. Una persona que trabajó a su lado opinaba que, aunque no hubiera inventado nada más, el acumulador le habría elevado a la categoría de insigne inventor porque «resulta casi imposible conocer las inmensas dificultades que hubo de vencer». Necesitó realizar más de diez mil experimentos antes de empezar a ver claro. Trabajó de día y de noche durante largos meses, sin un decaimiento. Cuando fallaba una prueba, miraba a sus ayudantes y comentaba con inmensa paciencia: «Hemos descubierto otra cosa más que no debemos hacer. Ya estamos más cerca de la meta».

Había resuelto olvidarse de los sistemas de las baterías existentes y se dedicó a una que careciese de plomo y en la que pudiera emplearse la solución alcalina. En los tres mil primeros experimentos empleó el óxido de cobre. Al descubrir que no daban resultado, eligió el níquel y el hierro. Observó que se producían entre esos metales reacciones muy esperanzadoras y pensó que ya se encontraba en el buen camino, trabajando con más ardor, si ello era posible.

Entonces montó un laboratorio químico en Silver Lake, Nueva Jersey, a escasas millas del laboratorio de Orange, donde se efectuaron los experimentos con la misma intensidad que en los viejos tiempos de Menlo Park. E incluso con idéntico humor. La cena de las doce de la noche era sumamente divertida: todos se olvidaban del trabajo, se bromeaba y se contaban historietas, algunas subidas de color. Edison se mostraba tan alegre como sus subordinados. En cierta ocasión, al apagarse las lámparas para hacer el cambio habitual, pues la producción de energía eléctrica era doble, Edison se tendió en un catre y unos segundos después, al encenderse de nuevo las bombillas, se levantó exclamando jovialmente: «Está bien, muchachos, ya hemos descansado un buen rato. Es hora de empezar a trabajar».

LA REALIDAD DEL ACUMULADOR

Los cinco primeros años de experimentaciones fueron espantosos. Las pruebas se sucedían por cientos, por miles. Uno de los miembros llegó a decir: «Los experimentos los numerábamos del 1 al 10.000 y al llegar al final volvíamos de nuevo al cero». No era exagerado aventurar que los ensayos pasaron de cincuenta mil. Edison preparó una nueva estructura de acero con chapa de níquel, llenando los receptáculos positivos con hidrato de níquel y los negativos con óxido de hierro. Siguieron un sinfín de experimentos para conseguir un eficaz contacto eléctrico en el elemento positivo, hasta que por último resolvió emplear un grafito especial, que mezcló con el hidrato de níquel para llenar las cavidades positivas. Aquello dio resultado.

Edison tuvo sus baterías dispuestas en 1903. Ahora era preciso someterlas a diversas pruebas antes de lanzarlas al mercado. Las instaló en coches con un pequeño motor eléctrico e hizo que los vehículos recorrieran las accidentadas carreteras próximas a Wast Orange. En el laboratorio, un aparato eléctrico especial agitaba las pilas de su batería como si estuvieran pasando por los baches de una carretera. Edison deseaba una batería que soportara todos los golpes.

Cierto día, Tom Robins, el inventor de la correa de transmisión, llegó a la biblioteca de Edison y se puso a charlar con él. De pronto se oyó un estrépito formidable en el exterior. Pareció que había caído algo muy pesado. Pero Edison no le dio la menor importancia. Luego se oyó un ruido semejante y en seguida otro. Edison siguió hablando como si tal cosa. En esto entró un obrero y le dijo: «El segundo piso, señor Edison. Sin novedad». Edison le indicó: «Prueben con el tercer piso». Al observar la cara de asombro de Robbins, le explicó: «Estamos probando la solidez de los acumuladores arrojándolos de los pisos del laboratorio».

En el verano de 1904 los talleres de Silver Lake tenían la maquinaria especial preparada y cuatrocientos cincuenta obreros dispuestos a empezar la fabricación de los acumuladores. Se produjeron varios millares, pero la demanda fue aún mayor. Se organizó una eficaz campaña publicitaria y los periódicos aseguraron que Edison había revolucionado el mundo de la energía. El propio inventor manifestaba:

«Mi acumulador eliminará, gradualmente, el uso del caballo. No hay ya ninguna razón para que estos animales sigan circulando por las calles de las ciudades, de las que el cerdo y la vaca ya han sido desterrados. Bajará el precio de los automóviles. Espero que hayamos alcanzado la época en que cada hombre pueda iluminar su casa, cargar su maquinaria,

Esta es una de las últimas fotografías conocidas de Thomas Alva Edison, cuando ya contaba más de ochenta años de edad. Dedicó su vida a la ciencia y contribuyó de un modo muy importante al progreso tecnológico del siglo XX.

calentar su hogar y cocinar sus alimentos con la
electricidad, sin tener que depender de nadie».

Lo malo fue que después de haber vendido varios millares de acumuladores comenzaron a llegar las quejas. El contenido se deterioraba, el funcionamiento de las pilas era irregular y casi todas se agotaban al llegar a un treinta por ciento de energía. Todos los acumuladores devueltos a los talleres eran examinados cuidadosamente. Edison empezó a buscar la causa del fallo. Aquello era casi inhumano, tras tantos años de esfuerzos, pero allí estaba la evidencia de los acumuladores deficientes. Era preciso hacer un nuevo trabajo y hacerlo mejor.

¿Qué representó aquel fracaso? Una nueva prueba para la voluntad de Edison y otros cinco años de trabajo. Cuando uno de sus ayudantes se le acercó para decirle que los nuevos experimentos estaban dando malos resultados y que, en su opinión, estaban esforzándose en un problema sin solución, el inventor le dijo: «Llevo treinta y tres años inventando cosas y en ese tiempo he podido descubrir que para cada problema que Dios nos ha puesto, también nos ha dado la solución. Si ni usted ni yo podemos encontrar esta solución, sólo significa que somos unos perfectos imbéciles. ¿Cómo vamos a pensar mal de Dios diciendo que ha creado algo imposible?»

Al cabo de aquellos cinco años se llegó a la solución definitiva de emplear copos de níquel. Ésta y otras innovaciones consiguieron un acumulador mucho más perfecto de lo que se esperaba. El copo de níquel representó el gran triunfo de Edison en el problema de la conductividad. Se conseguía disponiendo por medio de la galvanoplastia diversas capas alternadas de níquel y de cobre sobre unos cilindros metálicos, hasta alcanzar un total de cien capas. A continuación, se separaba el cilindro y la placa compuesta de níquel y de cobre del espesor de una fina cartulina, se cortaba en trocitos de un milímetro y medio, y se introducían en un baño que disolvía el cobre. De este modo, se obtenían libres los cien cuadraditos de níquel. Eran tan livianos que si se soltaba a uno de ellos quedaba flotando en el aire. Sin duda, nunca se hubiera logrado tan magnífico resultado a través de la teoría. Constituyó un gran triunfo de la ciencia aplicada, cuyo largo proceso de diez años costó a Edison millones de dólares, que salieron de su propio bolsillo.

«Ya tengo la batería acabada», escribió en el verano de 1909. Los talleres comenzaron a trabajar en gran escala y al año siguiente se obtuvo un beneficio de un millón de dólares con la venta de las pilas A de batería. La compañía Edison Storage Battery entró en una época de prosperidad.

UNA MÁQUINA DE INVENTOS

Una encuesta popular realizada por el New York Herald, en vida de Edison, le colocaba a la cabeza de los diez norteamericanos más notables de su época. Los periódicos le llamaban el mago y el público estaba convencido de que lo era.

Resultaba imposible incluir en un relato no técnico una referencia detallada de cada uno de sus inventos. Sólo se hizo así con los más importantes. Pero tampoco sería justo silenciar en absoluto tanto esfuerzo del gran hombre. Mil cuatrocientas fueron las patentes de invención solicitadas por Thomas Alva Edison en su larga vida de trabajo sin contar las ciento veinte solicitudes de inscripción previa con más de mil quinientos inventos. La solicitud de inscripción previa era un patente temporal que otorgaba el derecho de recibir aviso de la Oficina de Patentes, en el supuesto de que se solicitara alguna relacionada con el asunto a que se refería la inscripción previa. El plazo era de un año, tiempo que se estimaba suficiente para perfeccionar y ultimar el invento.

En una inscripción previa había perlas como las siguientes:

«Cuarenta y un inventos relacionados con el fonógrafo, comprendiendo diversos tipos de estilos registradores, dispositivos de algunas partes, producción de impresiones fonográficas, mecanismo para cepillar los cilindros con objeto de borrar las inscripciones realizadas, ajustes, etc.
Ocho formas de lámparas eléctricas, que emplean óxidos térreos infusibles, sometidos al estado de incandescencia en el vacío, utilizando una corriente de varios millares de voltios; de un efecto semejante

a la aplicación de los rayos X sobre un objeto situado en la ampolla».

Un teléfono de alta voz, utilizando un cilindro de cuarzo y rayos ultravioleta.

Cuatro variantes de luz de arco, empleando carbones especiales.

Un motor termostático.

Un sistema para cerrar y soldar mecánicamente la parte interior y la bombilla de una lámpara incandescente.

Tres procedimientos para aprovechamiento de las vibraciones más allá del ultravioleta.

Un gran número de sistemas para cubrir los filamentos de las lámparas incandescentes con silicio, titanio, cromo, osmio, boro, etc.

Diversos sistemas para la fabricación de filamentos porosos.

Diversos sistemas para la fabricación de filamentos con materiales plásticas y proyectadas con la utilización de una jeringa de tamaño adecuado, señalando treinta de esas materias.

Diecisiete sistemas diferentes y mecanismos para separar menas magnéticas.

Una batería primaria de operación continua.

Un instrumento musical que opera una de las laringes artificiales de Helmholtz.

Una sirena que funciona por medio de la explosión de pequeñas cantidades de oxígeno y de hidrógeno combinados.

Tres sirenas que producen sonidos vocales o palabras articuladas.

Un método para proyectar a distancia ondas sonoras, en línea recta y manteniéndose unidas, obedeciendo el principio de los anillos de humo.

Un mecanismo para señalar en un galvanómetro las profundidades oceánicas.

Sistema para reducir la fricción del agua contra el casco de un buque y, al mismo tiempo, impedir la adhesión de molusco.

Un receptor telefónico que aumentó de modo notable las vibraciones del diafragma.

Dos sistemas de telegrafía espacial en el mar.

Un teléfono de cordel muy perfeccionado.

Aparatos y sistema de hablar a través del agua o de
distancias considerables.
Un audífono para sordos.
Puente sonoro para medir la resistencia de los tubos y
otros materiales a la transmisión del sonido.
Sistema para averiguar las faltas en el hierro y el
acero de que se compone un imán.
Sistema de destilación de líquidos por el empleo de
un conductor incandescente sumergido en el líquido.
Sistema para obtener electricidad directamente del
carbón.
Máquina movida por el vapor producido por la
hidratación y deshidratación de las sales metálicas.
Aparato y sistema para telegrafiar fotográficamente.
Crisol de carbón que se mantiene incandescente
gracias a una corriente y en el vacío, utilizado para
conseguir reacción con metales refractarios.
Aparato para analizar combinaciones de olores y sus
alteraciones por rotación a diversas velocidades».

Edison era una máquina extraordinariamente dotada para formular
ideas. Y fue necesario inventar muchos nombres técnicos para aplicar a
sus descubrimientos. Por ejemplo, de Menlo Park y de la boca del propio
Edison salió el inevitable *hello* telefónico. Y qué decir del telégrafo.
«Perfeccioné un sistema de telegrafía ferroviaria entre las estaciones y los
trenes. Podían enviarse mensajes desde los convoyes en marcha a las
estaciones centrales». Este sistema fue el precursor de la telegrafía
inalámbrica y se empleó durante varios años en la Lehigh Valley Railroad.
En el techo del vagón había una pieza de metal, de la que partía la onda
eléctrica y, a través del aire, pasaba a los hilos telegráficos, que la
conducían a la oficina telegráfica.

Hasta el año 1886 Edison no pudo mostrar públicamente los
experimentos que ya venía realizando en Menlo Park sobre telegrafía
inalámbrica, aplicándola a los trenes en marcha. Se empleó
prácticamente por primera vez en el Staten Island Railroad, en un trozo
de vía de trece millas. Más tarde, Edison fundó una compañía en unión
de otros investigadores que se dedicaban a las mismas invenciones y el
sistema se instaló en el Lehigh Valley Railroad, donde funcionó durante
varios años.

En los primeros experimentos realizados en Menlo Park, Edison logró enviar mensajes aéreos a unos ciento setenta y cinco metros de distancia. «Sólo conseguimos transmisiones gracias a las cometas, a una distancia de dos millas y media. Siempre me he preguntado desde entonces por qué no se me ocurrió emplear los resultados de mis experimentos sobre la fuerza etérea de 1875. No me explico cómo los olvidé. De haber insistido en ellos, habría logrado la telegrafía inalámbrica a considerable distancia».

SENTIDO DE ANTICIPACIÓN

Los famosos libros de notas de Edison contenían muchas descripciones sobre los experimentos realizados sobre lo que denominó fuerza etérea. En 1875, descubrió y observó ciertos fenómenos, como la producción de efectos eléctricos en circuitos abiertos. Pensó que se hallaba en el camino de una nueva fuerza, pues las leyes que se conocían entonces sobre la electricidad y el magnetismo no podían explicar el fenómeno. Tiempo después, Hertz descubrió que aquellas manifestaciones se trataban de ondas electromagnéticas en el éter.

El mundo científico de su época se burló de sus experimentos. El aparato de Edison llamado caja oscura permitía ver las diminutas chispas producidas por las ondas al chocar con el receptor. Se parecía extraordinariamente al empleado por Hertz. Sir Oliver Lodge, en su obra *Señales sin alambres*, escribió: «Edison y Sylvanus Thompson ya habían visto chispas idénticas a las descubiertas por Hertz, y Edison las llamó fuerza etérea, pero no fue apreciado su significado teórico y se las consideró con escepticismo». Esta y otras pruebas también demostraron que Edison fue un precursor en ese campo.

Al descubrir Roentgen los rayos X en 1895, bien podía decirse que Edison ya los estaba esperando, pues inmediatamente se puso a experimentar con ellos en gran escala.

«Al aparecer los rayos X, construí el primer
fluoroscopio, empleando tungstato de calcio.
Descubrí que si el tungstato se sujetaba por medio de

la fusión a las paredes interiores de una cámera de
vidrio al vacío y si los reductores de los rayos X se
colocaban igualmente dentro de la cámara, resultaba
una lámpara fluorescente de varias bujías de
intensidad. Inicié la construcción de varias de estas
lámparas. Enseguida observé que los rayos X
causaban efectos perniciosos en mi ayudante, el señor
Dally, al que se le cayó el pelo y le aparecieron varias
úlceras en la piel. Entendí que aquella luz no era
aconsejable, y me olvidé de ella».
«Entonces elegí el tungstato de calcio y encargué a
cuatro hombres la realización de innumerables
combinaciones químicas. Ello me permitió
recoger más de ocho mil cristales distintos de
diversas combinaciones químicas, descubriendo
varios centenares de sustancias distintas y
aptas para los rayos X.»

En 1896 una revista científica publicó una fotografía de Edison
tomada a la luz de una de sus lámparas fluorescentes. Y, dos meses antes,
la misma revista exhibía un fluoroscopio de Edison usado a modo de
estereoscopio, aparato también inventado por Edison y que consistía en
una caja con uno de sus lados de forma apropiada para poder aplicarse
sobre la frente y los ojos, y el otro, el opuesto, cerrado por un cartón, en
cuyo interior se extendía una capa de tungstato de calcio. Para observar,
por ejemplo, una mano, se la colocaba entre el tubo de vacío y la pantalla
fluorescente, formándose sobre ésta una sombra. En la Exposición
Eléctrica de 1896, celebrada en el Grand Central Palace de Nueva York,
miles de personas pudieron contemplar sus propios huesos gracias al
aparato de Edison.

Con la extracción de oro también se atrevió. «Inventé un método de
separar el oro utilizando un proceso en seco. Podían obtenerse cinco
centavos de oro por yarda cúbica, con un costo muy bajo. Realicé un
ensayo satisfatorio con varios carros de arena. Algunos buscadores de oro
decidieron emplear mi sistema y obtuvieron la concesión de la mina
Ortiz, enclavada a doce millas de Santa Fe, Nueva México, tenida por
una de las más ricas de Estados Unidos. Aquellos buscadores de oro
firmaron un convenio con los propietarios de la concesión y conmigo
para emplear mi procedimiento en la mina. Consideré conveniente

realizar un ensayo con una pequeña instalación, antes de montar la definitiva. Envié a dos hombres de mi absoluta confianza y empezaron a hacer pozos de cincuenta pies de profundidad. Pronto se descubrió que la grava rica ocupaba una extensión muy reducida, y que, con todo, su riqueza no superaba los diez centavos por yarda cúbica. Todos salimos perdiendo».

A Edison le llamó la atención el lento sistema que se utilizaba a la hora de quitar la nieve de las calles de Nueva York. «Cierto día, después de una intensísima nevada, la ciudad se encontraba intransitable. Con la ayuda de Batchelor, se me ocurrió construir una máquina, que consistía en un gran camión provisto de una máquina de vapor y un compresor. Recogíamos toda la nieve que había delante del camión, la introducíamos en el compresor y éste la devolvía en forma de pequeños bloques de hielo, que tenían un volumen diez veces menor que la nieve. No fue más que un ensayo. Pero bastó para dejar las calles limpias de nieve molesta, pues los bloques no estorbaban a nadie. La máquina trabajaba con la velocidad de un caballo al paso. Aunque tuve que abandonar aquel asunto para dedicarme a otros trabajos».

Nunca se prestó Edison a inventar o perfeccionar artefactos que pudiesen ser empleados en la guerra para la destrucción de vidas humanas. Por ello resultó sorprendente su colaboración con W. Scott Sims en la invención del torpedo Edison-sims. Se trataba de un torpedo submarino y dirigible, que funcionaba eléctricamente. Además de la carga explosiva, el torpedo llevaba un pequeño motor eléctrico, para realizar la propulsión y la dirección. El torpedo podía ser dirigido desde tierra o desde un buque. Sólo se iba soltando cable eléctrico a medida que avanzaba y las distintas operaciones de retroceso, dirección o cambio de velocidad eran controladas por el operador gracias a las corrientes que se enviaban por el cable.

En la guerra hispano-americana, Edison indicó al Ministerio de Marina la posibilidad de emplear una combinación de carburo de calcio y de fosfato de calcio, que, introducida en una granada y al ser disparada por un cañón, estallaba al tocar el agua, incendiándose y produciendo una llama que duraba varios minutos. Así, alumbraba un círculo de cuatro a cinco millas de radio y permitía la localización de los barcos enemigos por la noche.

INSACIABLE

Muchos de los esfuerzos de Edison se dirigieron al logro del mayor ahorro de combustible. En este sentido, proyectó algunos motores y generadores piromagnéticos. Es decir, basados en la aplicación directa del calor a las máquinas. El motor se fundaba en el principio del famoso doctor William Gilbert, considerado el padre de la electricidad moderna, según el cual las propiedades magnéticas del hierro disminuían con el calor. Al calentar al rojo vivo un trozo de hierro, dejaba de ser magnético, no siendo atraído por el imán más potente. Edison construyó su pequeña máquina acordándose de esta propiedad: consistía en una barra apoyada en unos pivotes, que se calentaba y enfriaba alternativamente. Estando fría, era atraído por un electroimán próximo, cosa que no sucedía al estar caliente. Ello daba lugar al movimiento buscado.

Su generador piromagnético también se basaba en el mismo principio. Generaba energía eléctrica directamente del calor del combustible. En realidad, el inducido constaba de ocho inducidos separados, sujetados por medio de dos placas circulares de hierro, atravesadas en su parte central por un árbol que en su parte inferior llevaba un escudo semicircular de arcilla refractaria, cubriendo los extremos de cuatro de los inducidos. El foco de calor se situaba debajo, el árbol giraba y cuatro de los inducidos perdían constantemente su magnetismo, mientras los cuatro restantes lo recuperaban. Las corrientes eléctricas pasaban por los hilos de los inducidos y se recogían por un conmutador colocado en la parte superior del árbol.

Edison inventó infinitos aparatos eléctricos. Por ejemplo, ideó una especie de puente magnético, una aplicación de los principios del puente de Wheatstone, usado para medir la resistencia eléctrica de los hilos.

El galvanómetro que inventó se diferenciaba de todos los demás porque carecía de carretes o aguja magnética. Se fundamentaba en el efecto calefactor de la corriente. Un fino alambre de platino-iridio, encerrado en un tubo de gas, al ser calentado por esa corriente, se dilataba, haciendo que un muelle arrollado actuara sobre un árbol giratorio con un espejito, el cual, en su consiguiente desplazamiento, proyectaba un rayo de luz sobre una escala, pudiéndose leer las indicaciones marcadas por la luz.

Otro ingenioso aparato indicador era el odoroscopio, parecido al ya mencionado tasímetro. El aparato se revelaba tan sensible al calor como a la humedad: bastaban unas gotas de agua vertidas en el suelo de una habitación para que se apreciara una variación en el galvanómetro en circuito con el instrumento. Basándose en el principio del odoroscopio, podían construirse higrómetros, barómetros e instrumentos semejantes. También se empleaba para determinar el carácter o la presión de los gases y vapores.

Algunos de los inventos de Edison llevaron títulos bien expresivos en la Oficina de Patentes: aparato telegráfico impresor, máquina para perforar papel para fines telegráficos, máquina de escribir, telégrafo telefónico, telégrafo acústico, telégrafo parlante, teléfono, conservación de frutos, modo de hacer el hierro maleable, baño metálico de un material con otro, métodos y aparatos para estirar alambre, muñeca fonográfica y otros juguetes, aparato para fabricar cristal, trolley para ferrocarriles eléctricos, locomotora eléctrica, aparato para escribir fotografías animadas, automóvil eléctrico, sistema de hacer inexplosivos los gases de las baterías acumuladoras, proceso para producir hojas muy delgadas de metal, aparato eléctrico de soldar, arte de separar el cobre de otros metales, método de ofrecer la ilusión de escenas en colores. Alto. De seguir, la lista se haría interminable.

Las patentes concedidas a Edison por países extranjeros sumaron mil doscientas treinta y nueve, siendo Gran Bretaña la que encabezaba la lista, con ciento treinta y uno, seguida de Alemania, con ciento treinta. El gran inventor solicitó en España cincuenta y cuatro patentes.

EL APAGÓN FINAL

EL ESPOSO MÁS DIFÍCIL DE AMÉRICA

Un periodista tituló la entrevista que sostuvo con Mina Edison: «La señora Edison tiene el esposo más difícil de América». Para el inventor estaban de más las diversiones y los entreteniminetos. Sólo le atraía su trabajo y eso, para una esposa, no era siempre lo más agradable. En ocasiones la familia se confabulaba para interesarle en el golf, pero siempre fracasaba rotundamente. En aquel hogar, lo primero era el trabajo del marido, quedando relegados los demás problemas familiares.

Sin embargo, Edison quería a los suyos, amaba entrañablemente a su mujer. Ella era la única persona que ejercía alguna influencia sobre él, la única que podía hacerse entender sin elevar la voz cuando se acentuó la sordera del inventor. Edison siempre encontraba tiempo para conversar con Mina en el jardín, aunque sólo fueran unos minutos. Se decía que jamás dejó de besarla al salir de casa o entrar en ella. Incluso la hacía llamar por un criado, si no se encontraba a su lado.

Mina había resuelto que sus hijos no crecieran tan alejados de su padre como sucedió con los hijos de la anterior esposa. Continuamente aconsejaba a Charles, que en 1904 tenía catorce años, que aprovechara sus vacaciones para trabajar junto a su padre en el laboratorio. Y el muchacho así lo hacía, a veces sometiéndose pacientemente a lavar interminables filas de botellas.

Edison se entendía muy bien con su hijo. Cierta noche de verano, después de una agotadora jornada, Charles dijo: «Me gustaría dormir como lo sueles hacer tú». El padre asintió y le ordenó que se echara debajo de la mesa. Se siguió trabajando en el laboratorio y a las dos de la madrugada se presentó Mina, alarmada, preguntando dónde estaba el muchacho. Mucho le desagradó verle dormido en el suelo, que no solía estar muy limpio, pues Edison era un gran masticador de tabaco y su escupidera siempre era el suelo: aseguraba que era el único lugar donde nunca se podía fallar. Mina recogió a Charles y regresó con él a casa.

Edison, que era partidario del sistema del hombre haciéndose a si mismo, que tan bien le había ido, permitió que su hijo mayor, Tom, no asistiera a un colegio. Aunque por haber estado enfermo, no alcanzó la enseñanza superior. El segundo, William Leslie, carecía de condiciones para el estudio y no pasó de la escuela preparatoria. Edison se sintió muy desilusionado por ello. Por su parte, tanto Tom como Leslie habían visto complicarse su vida con el fallecimiento de su madre. Al casarse Edison por segunda vez, Mina tenía unos pocos años más que Marion y que Tom. Aunque lo intentaran, jamás podrían los tres hermanos considerar a Mina como su segunda madre. Sin embargo, Marion siempre sostuvo buenas relaciones con ella y con sus hermanastros. Si cuando fue enviada a Europa a estudiar, como ya se dijo, se casó allí con un oficial alemán, se debió a su espíritu independiente.

Tom llegó a trabajar en el laboratorio de West Orange. Más tarde, él y Will se marcharon de la casa de sus padres. Edison les enviaba regularmente dinero a ambos. Tom siempre se encontró en apuros monetarios. Incluso se asoció con ciertas personas desaprensivas para fundar dos compañías comerciales: la Thomas A Edison Jr. Electric Company y la Edison Junior Chemical Company. La primera, dedicada al descubrimiento de inventos sensacionales, como, por ejemplo, una máquina para fotografiar el pensamiento. La segunda, a la producción de extraños artefactos eléctricos que se anunciaban capaces de curar casi todas las enfermedades. Edison tomó cartas en el asunto y descubrió que los socios de Tom empleaban a éste como pantalla para sus negocios poco limpios, a cambio de una pequeña retribución. Los llevó a los tribunales y logró deshacer las compañías. Como quería mucho a su hijo, le perdonó y le empleó en una de sus empresas. Tom, ya enfermo, se suicidó a los setenta años, a los cinco de haber muerto su padre.

William Leslie, después de haber luchado en la guerra hispano-americana y en la primera guerra mundial y haber fracasado en algunos negocios emprendidos con el dinero de su padre, se casó y se convirtió en granjero en Nueva Jersey, empeñado en mantenerse distanciado de su familia, a pesar de los esfuerzos de Edison y de Mina por atraerle. Falleció en 1941.

Los hijos del segundo matrimonio, Madeleine, Charles y Theodore tuvieron más suerte. La muchacha fue feliz en su matrimonio. Charles ocupó el puesto de director de la Thomas A. Edison Incorporated al retirarse su padre en 1927 y Theodore, después de cursar con brillantez estudios de ingeniería en el Instituto de Tecnología de Massachusetts, se dedicó a la Física superior. «Lo único que no me agrada de Theodore es su afición por las matemáticas», decía un Edison que siempre fue un entusiasta de la ciencia experimental y aplicada y despreciaba profundamente a los teóricos.

EL FUEGO PURIFICADOR

El 9 de diciembre de 1914 los talleres de Edison, de West Orange, fueron presa de un voraz incendio. Poco antes de las seis de la tarde comenzó a arder un pequeño pabellón de madera, almacén de productos químicos y películas inflamables. Llegaron rápidamente los bomberos y poco pudieron hacer, pues la presión del agua en West Orange era muy baja. Se suponía que los edificios de cemento armado no corrían ningún peligro de incendio. Craso error. Las llamas, arrastradas por el viento, pronto envolvieron todas las fábricas y una de ellas, de seis pisos y que contenía productos químicos, empezó a arrojar grandes llamaradas por las ventanas. En la lucha contra el fuego pereció uno de los bomberos.

Charles Edison, que en aquella época trabajaba en los talleres fotográficos, corrió como un loco de grupo en grupo buscando a su padre.

El pobre muchacho estaba desesperado. Las fábricas, de las que salían productos para todo el mundo, la gran obra que Thomas Alva Edison había levantado con enorme esfuerzo en el valle de Orange iba reduciéndose a cenizas de forma inexorable. Sin embargo, Charles encontró a su padre aparentemente tranquilo dando un paseo por el patio.

Charles se le acercó asustado y Edison le espetó: «¿Has visto a tu madre? Ve a llamarla. Ah, y que traiga a todas sus amigas. Jamás tendrán ocasión de presenciar un incendio como el que yo les ofrezco». A Charles se le pusieron los pelos de punta y gritó: «¿Pero ya te das cuenta de los que significa? El seguro sólo cubre una tercera parte del valor de lo que está desapareciendo». La respuesta de su padre lo desarmó: «¿Por qué te apuras tanto? Nos quedará la biblioteca y algunos edificios importantes. Tenía deseos de desprenderme de muchas porquerías».

Pero no tardó en ponerse a dirigir las operaciones para salvar lo máximo posible, trasladando a lugares seguros muchos materiales. Varias horas después se consiguió empalmar con la red de agua de East Orange y ya se pudo combatir más eficazmente las llamas, hasta reducirlas. Al día siguiente se vio que todos los edificios dedicados a la fabricación habían quedado destruidos interiormente. «Pero continúan en pie», comentó Edison con mucha sorna.

Desde todos los puntos del país se recibieron llamadas de ánimo y pesar. Aunque las pérdidas no se elevaron a cuatro millones de dólares, como todos creían, sino a uno solo. Edison había sufrido un gran descalabro. No pareció inmutarse demasiado. Su espíritu indomable le hizo comentar: «No es la primera vez que sufro contratiempos. ¿Quién piensa que me encuentro viejo a los sesenta y siete años? Volveré a empezar». Dos horas después ya estaba al frente de mil quinientos hombres limpiando los escombros. Fueron alquiladas naves en las poblaciones próximas, se llevó a ellas la maquinaria precisa y en seguida se reanudó el trabajo. Pidió préstamos a los bancos y su amigo Henry Ford le envió un regalo de setecientos cincuenta mil dólares. Pocas semanas después, las fábricas estaban medianamente reparadas y a primeros de año ya se trabajaba a ritmo intenso, en dos turnos, pues era preciso atender los grandes pedidos de los nuevos fonógrafos para discos, que aquel año de 1915 se elevaron a diez millones de dólares.

LA LEJANÍA ES BELLA

Al cumplir los setenta y cinco años de edad, Edison fue elegido por el *New York Times* como el hombre más grande de Estados Unidos. Empezó la hora H de los halagos, los honores y los homenajes. Y la misma Mina, su esposa querida, se encargó de rebajar el consumo de sus vicios de beber café y fumar tabaco. Incluso puso un tiempo límite a su enfermiza obsesión por el trabajo. Aunque a los ochenta años aún se vio con ánimos para fabricar un fonógrafo de larga duración: el primer LP de cuarenta minutos de música en un solo disco.

Edison ganó la fama mundial. Y los Gobiernos de muchos países extranjeros se deshicieron en elogios y no dejaron de enviarle algún que otro regalo. En 1929, el presidente norteamericano Coolidge le entregó la Medalla de Oro del Congreso. Henry Ford, amigo y admirador de Edison, levantó un museo a su memoria con el material que había pertenecido al inventor octogenario. Reunió las piezas maestras de Menlo Park. A tal fin, recorrió el distrito rural de Nueva Jersey recogiendo los tablones pertenecientes a los viejos cobertizos de Edison. Logró recuperar igualmente muchos de los modelos originales de los primeros inventos. Todo lo que se refería a Edison era valioso para Ford. El trabajo de restauración de algunos modelos fue realizado por Francis Jehl, que formó parte del antiguo grupo de trabajadores de Menlo Park. Ford invirtió tres millones de dólares en esta labor de rescate. El contenido del Museo costaba la friolera de diez millones de dólares.

En el año 1910 se fundó una sociedad, los Edison Pioneers, integrada por viejos amigos y socios del inventor que, en 1929, resolvió organizar unos importantes actos para conmemorar el cincuenta aniversario de la invención de la lámpara incandescente de Edison. Los gastos corrieron a cuenta de la General Electric, empresa creada por Edison. Los actos del festejo se celebraron en el pueblecito de Dearborn, el lugar donde Ford había instalado el museo. La sorpresa fue mayúscula: allá se encontraba reconstruido el mismísimo Menlo Park. No faltaba nada: las bombillas, los instrumentos telegráficos, la estación generadora de Pearl Street, la estación ferroviaria de Smith's Creek y otros entrañables recuerdos. Edison sonrió emocionado y le dijo a Ford: «Tu restauración alcanza un noventa y nueve y medio por ciento de perfección». Ford preguntó: «¿Cuál es el medio por ciento que le falta?» Edison repuso: «Nosotros no lo teníamos tan limpio».

En el gran banquete que tuvo lugar en Dearborn no faltaron el presidente Hoover y su esposa al frente de un nutrido grupo de personajes políticos y financieros ni científicos e investigadores como el pionero de la aviación Orville Wright y la doctora Curie. Todos subieron a un viejo tren de locomotora de leña hasta el empalme reconstruido de Smith's Creek y allá, al aparecer un muchacho con un cesto, Edison se apoderó de éste y dio varios pasos pregonando entre sonrisas: «¡Caramelos, manzanas, bocadillos, periódicos!».

Por la noche, en el segundo piso del laboratorio de Menlo Park, se evocó el momento de la invención de la lámpara eléctrica. Hombres como Kruesli, Upton, Batchelor y Johnson, que trabajaron con Edison para conseguir aquel triunfo, habían muerto. Sólo estaba Jehl, que fue llevado desde Europa para intervenir en aquella representación. En el laboratorio, Edison y su ayudante demostraron cómo se carbonizaba, se hacía el vacío y se encendía una bombilla en 1879. La voz que transmitía por radio el acto a millones de personas en todo el país, decía: «Ahí está la lámpara como hace cincuenta años. ¡Se ha encendido! ¡Es el momento cumbre de las Bodas de Oro de la Luz Eléctrica!» Edison, visiblemente emocionado, pronunció unas breves palabras de agradecimiento:

«Al honrarme, estáis honrando también al vasto ejército de pensadores y trabajadores del pasado y a los que continúan trabajando. Sin todos ellos mi obra no habría servido para nada. Si he logrado estimular a los hombres para que realizaran el máximo esfuerzo y si nuestra labor amplió el horizonte de la inteligencia humana, aunque sólo haya sido un poco, y aumentado la felicidad del mundo, ya me doy por satisfecho».

La emoción pasó factura a un Edison enfermo. Al terminar su discurso, sufrió un colapso. Entre Mina y el médico del presidente Hoover le tendieron en un sofá y hubo que inyectarle adrenalina para que se reanimara. Pero no se inmutó. Después de pasar un tiempo de reposo en la casa de invierno de su amigo Henry Ford en Seminole Lodge, volvió a la carga: «No resisto tanta gloria. Necesito volver a trabajar». Era un decir. En realidad, se vio forzado a ir con menos frecuencia de la habitual a su laboratorio. Aunque desde su cama o su sillón seguía en contacto con los trabajos que se realizaban. Los técnicos le tenían informado puntualmente de todo. Su sordera total le hizo soltar la lengua más que nunca. En poco tiempo, defendió públicamente su profesión de agnosticismo y arremetió contra el poder comercial de los judíos en Alemania, una de las causas principales, según él, del estallido de la Primera Guerra Mundial. El jueves negro del 24 de enero de 1929 dio paso a la gran depresión económica y al empeoramiento de la salud de Edison.

En agosto de 1931 pareció resignarse al inevitable final. Dejó de luchar. Y pareció entregarse sin resistencia. Una vez asumido el hecho de que ya no le sería posible trabajar más, todo se derrumbó a su alrededor. En septiembre, Ford visitó a su amigo por última vez. Edison se reanimó y conversó normalmente con él, haciéndole incluso muchas preguntas. Ni siquiera sus médicos se salvaban de sufrir aquellos interrogatorios en toda la regla. El enfermo quería enterarse de las medicinas que le recetaban e incluso de las reacciones de su propio organismo. Un día se le practicó un análisis de sangre y llegó a pedir un microscopio para ver él mismo los resultados. Estaba llevando a cabo su último experimento.

A comienzos de octubre, perdió la lucidez. Los periodistas se concentraron en el garaje de la casa de Edison y montaron una instalación de veinte líneas telefónicas para que todos pudieran seguir puntualmente el momento del desenlace. Un inmenso gentío rodeaba la mansión y la policía apenas conseguía mantener el orden. La habitación del moribundo permanecía a oscuras por las noches. Ya se había anunciado públicamente que se encendería cuando llegara el momento de la muerte. Mina, Charles y algunos otros miembros de la familia se encontraban recluidos en una habitación contigua.

A las tres y veinticuatro de la madrugada del día 18 de octubre, el doctor Hubert anunció la muerte de Edison. El entierro tuvo lugar el día 21 y el cuerpo de Thomas Alva Edison fue depositado al pie de una encina centenaria, que era el árbol predilecto del inventor. El Presidente de la nación pidió que a las diez de la noche de aquel mismo día todos los ciudadanos del país apagaran las luces durante unos minutos. En el aire etéreo todavía sonaban las últimas palabras pronunciadas por Edison: «La lejanía es muy bella».

CRONOLOGÍA

		Situación política
1847	Nace el 11 de febrero en Milán, Ohio.	El pionero mormón Brigham Young funda Salt Lake City. El Ejército de Estados Unidos toma la ciudad de México.
1848	Su cabeza era excesivamente grande y los médicos temían que padeciera alguna enfermedad cerebral.	Tratado de Guadalupe Hidalgo: fin de la guerra entre Estados Unidos y México. Wisconsin, nuevo Estado de la Unión. Proclamación de la República en París.
1852	Viaja a Vienna, en Canadá, para visitar a su abuelo.	El demócrata Franklin Pierce, presidente de Estados Unidos. Napoleón III, emperador de Francia. I
1854	La familia Edison fija su residencia en Port Huron.	Partido Republicano en Estados Unidos. Inicio del Bienio progresista en España.
1855	Asiste por primera vez a la escuela del reverendo Engle y su esposa.	Golpe de Estado victorioso contra el general Santa Anna en México. Primera huelga general en Barcelona.
1858	Monta su primer laboratorio en casa y se construye un telégrafo.	Minnesota, nuevo Estado de la Unión. Guerra civil en México: Estados Unidos reconoce al gobierno de Benito Juárez.
1859	Consigue un empleo como vendedor de periódicos en la línea ferroviaria del Grand Trunk.	Fundación del Estado de Oregón. Levantamiento de los indios araucanos en Chile. Buenos Aires se une a la Federación argentina. Huelga de nueve meses del sector de la construcción en Londres.
1860	Un empleado del ferrocarril le ayuda a subir a un vagón cogiéndole por las orejas: la causa de su sordera.	Lincoln, republicano antiesclavista, presidente de Estados Unidos. Saboya y Niza se unen a Francia. Las fuerzas anglo-francesas toman Pekín.
1862	Estudia telegrafía durante cuatro meses y a lo largo de dieciocho horas diarias.	Lincoln decreta la abolición de la esclavitud en los Estados del sur. Bismarck, canciller de Prusia. Francia ocupa la Cochinchina.
1863	Con dieciséis años, obtiene una plaza nocturna de telegrafista en la estación de Stratford, en Canadá.	Guerra de Secesión en Estados Unidos. Tropas francesas ocupan la ciudad de México.
1864	Marcha a Indianápolis y trabaja de telegrafista en la Union Station.	Fundación del Estado de Nevada. Lincoln reelegido presidente de Estados Unidos.
1865	Entra a trabajar en la Western Union en Cincinnatti. Empieza una vida de telegrafista nómada por el sur.	Asesinato de Lincoln. Andrew Johnson, nuevo presidente de Estados Unidos. Fin de la guerra de Secesión.
1868	Consigue un puesto en la oficina de la Western Union en Boston. Inventa un registrador de votos, un indicador automático de cotizaciones bursátiles y un aparato telegráfico capaz de enviar dos despachos a la vez por el mismo hilo.	Grant, presidente de Estados Unidos. Grito de Yara: primera revuelta independentista en Cuba. Se concede la libertad de reunión y expresión en Francia. La escuadra española se subleva contra Isabel II, quien huye a Francia.
1869	Llega a Nueva York. No para de	Se crea en Estados Unidos la

Arte y Literatura

Ulalume, de Edgard Allan Poe.

Entierro en Berlín de los caídos, de Menzel. *Genoveva*, de Shuman.

La cabaña del tío Tom, de Harriet Beecher-Stone.

Aparece el periódico francés *Le Figaro*. *Los periodistas*, de Gustav Freitag.
Hojas de hierba, de Walt Whitman.

Los tramperos de Arkansas, de Gustave Aimart. Nace Puccini.
Franz Listz dirige *El barbero de Bagdag*, de Cornelius.
Fausto, de Charles Gounod.
Historia de dos ciudades, de Charles Dickens. *Genoveva de Brabante*, de Offenbach.

Rimas, de Bécquer.

Los miserables, de Victor Hugo.
Verdi: *La forza del destino*. Franz Listz: *La leyenda de santa Isabel*.

Cinco semanas en globo, de Julio Verne. Bizet: *El pescador de perlas*.

Nace Toulouse-Lautrec. *Alicia en el país de las maravillas*, de Lewis Carroll. Manet pinta *Olimpia*.
El idiota, de Dostoievski. Saint-Saens: *Concierto para piano en Sol menor*. Wagner: *Los maestros cantores de Nuremberg*.
Guerra y paz, de Tolstoi. Brahms: *Danzas húngaras*.

Verdi: *Aida*.

Ciencia y Pensamiento

Perspectiva crítica de la filosofía de Kant, de Goggozki. Kirchoff: leyes de bifurcación de la corriente eléctrica.
Discurso sobre el positivismo, de Comte. Inauguración del ferrocarril Barcelona-Mataró. Duchenne de Boulogne utiliza la corriente eléctrica como método terapéutico.
Filosofía de la revolución, de Ferrari.
Catecismo positivista, de Comte.

Fé del carbonero y ciencia, de Vogt.

Principios de psicología, de Spencer. Investigaciones experimentales sobre la electricidad, de Michael Faraday.
Plücker descubre los rayos catódicos. Virchow funda la patología celular. Inauguración del ferrocarril Madrid- Alicante.
El Origen de las especies, de Darwin. *Contribución a la crítica de la economía política*, de Engels.
Plücker estudia la variación de los efectos de luz según los distintos grados de enrarecimiento del aire.
Filosofía del descubrimiento, de Whewell. Maxwell sostiene que las velocidades de las partículas de gas son muy variadas: las distribuye y hace el promedio de velocidades.
Exposición Universal en Londres.

Del principio federativo, de Proudhon. *El utilitarismo*, de Mill. Pacinotti construye un generador.
Pensamiento y conocimiento, de Bonatelli. Holtz y Töpler llegan a la máquina electromagnética.
Dialéctica natural, de Dühring.
Muere Proudhon. Clausius: concepto de entropía.

Leclanché: inventa la pila eléctrica.

Filosofía del inconsciente, de

CRONOLOGÍA

		Situación política
	inventar. Recibe el primer cheque de su vida por un valor de cuarenta mil dólares.	convención Nacional para el sufragio femenino. Proclamación de una nueva constitución, ley liberal de minas y primeras insurrecciones federales en España.
1871	El 11 de abril muere su madre Nancy. El 25 de diciembre se casa con Mary Stilwell.	Matanzas de indios sioux en Estados Unidos. Proclamación de la Comuna de París. Abolición del régimen feudal en Japón.
1872	Nace su hija Marion.	Grant, reelegido presidente de Estados Unidos. Lerdo de Tejada, presidente de México. Tercera guerra carlista en Cataluña. Expulsión de los jesuitas de Alemania.
1873	Viaja a Inglaterra con el fin de probar su telégrafo automático para la línea Londres-Liverpool.	Proclamación de la República en España. Castelar, primer presidente republicano.
1875	Construye un aparato que es el primer teléfono conocido. Aunque su intención no es transmitir la palabra, sino estudiar las ondas creadas por varios sonidos.	Diecinueve obreros ejecutados en la huelga de mineros en Pennsilvanya. Alfonso XII entra en Madrid. Fundación del partido socialdemócrata alemán.
1876	Funda el laboratorio de Menlo Park. Nace su hijo Thomas.	Los indios sioux derrotan al séptimo de caballería en Little Bighoorn. Fundación del Estado de Colorado. Fin de la tercera guerra carlista en Cataluña.
1877	Inventa el fonógrafo.	P.B Hayes, presidente de Estados Unidos. Se organiza el Socialist Labor Party anarquista en Estados Unidos.
1878	Nace su hijo William.	Paz de Zanjón: fin de la primera insurrección cubana. Humberto I, rey de Italia. Grecia declara la guerra a Turquía. Los británicos ocupan la isla de Chipre.
1879	El 21 de octubre prueba con éxito la primera lámpara eléctrica utilizable durante cuarenta horas.	Chile vence a Perú y Bolivia en la guerra del Pacífico. Enseñanza primaria obligatoria en Italia. Fundación del Partido Socialista Obrero Español (PSOE) en Madrid. Gran Bretaña invade Afganistán.
1880	El 13 de mayo hace funcionar por primera vez el ferrocarril eléctrico en Menlo Park.	El republicano Garfield, presidente de Estados Unidos. Abolición de la esclavitud en Cuba. Celebración del primer Congreso catalanista en Barcelona. Se funda en Francia la Federación del Partido de los Trabajadores Socialistas.
1881	En la primera Exposición Eléctrica celebrada en el mundo, en París, recibe el Diploma de Honor.	Asesinato del presidente Garfield en Estados Unidos: le sucede el vicepresidente Arthur. Asesinato del zar ruso Alejandro I : le sucede Alejandro II. Progroms antijudíos en Rusia. Levantamiento contra los franceses en Argelia.

rte y Literatura

Ciencia y Pensamiento
Hartman. Mendelejew y Meyer
establecen el sistema periódico de
los elementos.

ecuerdos de Italia, de Castelar.
ffenbach: El rey Carotte.

Del fundamento de la inducción, de
Lachellier. Gramme: dinamo
eléctrica.

a vuelta al mundo en ochenta días,
e Julio Verne. Episodios
acionales, de Galdós. Anna
arenina, de Tolstoi.

La expresión de las emociones en el
hombre y los animales, de Darwin.
El nacimiento de la tragedia, de
Niettzsche. Nace Bertrand Russell.

ida en el Mississippi, de Mark
wain. Bizet: Carmen.

El estudio de la sociología, de
Spencer. Estado y anarquía, de
Bakunin. Exposición Universal en
Viena.

oña Perfecta, de Galdós. Las
acionalidades, de Francesc Pi i
Margall. Primer festival de música
e Bayreuth. Wagner: Sigfrid.

El pueblo eterno, de P. Smolenskin.
Marcus: motor de explosión para
el automóvil. Roebuck Rodge: el
proyector.

l americano, de Henry James.
streno en Moscú de El lago de los
isnes, de Tchaikovski. Saint-
aens: Sansón y Dalila.

Principios de sociología, de Spencer.
A. Graham Bell patenta el
teléfono. Exposición Universal en
Filadelfia.

Marianela, de Galdós.

La formación natural en el sistema
solar, de Ardigò. Muybridge
construye su batería de cámara.

Anton Rubinstein: Nerón.

La ciencia experimental, de Bernard.
E. Hughes inventa el micrófono.
Exposición Universal en París.

Los hermanos Karamazov, de
Dostoievski. Ben-Hur, de Wallace.
Rodin: El pensador.

Opiniones y sentencias diversas, de
Nietzsche. Nace Albert Einstein.
Siemens: locomotora eléctrica.
Exposición Universal en Sidney.

Nace Picasso. Monet: Casa en
Vètheuil.

La certidumbre moral, de Ollé-
Laprune. E. J Muybridge proyecta
aniumales en movimiento en su
zoopraxiscopio. Exposición
Universal en Melbourne.

Wagner: Parsifal.

Aurora, de Nietzsche. Siemens:
primera línea de ferrocarril
electrificado cerca de Berlín.
Déprez: estudios sobre transmisión
de nergía eléctrica.

CRONOLOGÍA

Arte y Literatura

La isla del tesoro, de R. L Stevenson. Vincent van Gogh: *Comedores de patatas*.

W. Le Baron Jenney construye el Home Insurance Building en Chicago.

Los bostonianos, de Henry James. *Huckleberry Finn*, de Mark Twain.

El extraño caso del doctor Jekill, de R. L Stevenson. *Las minas del rey Salomón*, de H. Rider Haggard. Saint-Saens: *El carnaval de los animales*. *Fortunata y Jacinta*, de Galdós. Verdi: *Otello*.

El príncipe feliz, de Oscar Wilde. Se publica el *Financial Times* londinense. Grieg: *Peer Gynt*. Rimski Korsakov: *Scherezade*.

Un yanqui en la corte del rey Arturo, de Mark Twain.

El retrato de Dorian Gray, de Oscar Wilde. Tchaikovski: *La bella durmiente*.

La casa de las granadas, de Oscar Wilde.

Puccini: *Manon Lescaut*. Dvorak: *Sinfonía del nuevo mundo*.

Terra Baixa, de Angel Guimerà. Puccini: *La Bohème*.

Ideales americanos, de Theodore Roosevelt.

Nace Ernest Hemingway. Rimski-Korsakov: *Sadka*.

Ciencia y Pensamiento

La Gaya Ciencia I-IV y *Así habló Zaratustra I*, de Nietzsche. Marey: primera cámara transportable en forma de fusil. Exposición Universal en Moscú. *Introducción a las ciencias del espíritu*, de Dilthey. Daimler patenta el automotor. Exposición Universal en Amsterdam.

El individuo contra el Estado, de Spencer. O. Amschütz obtiene sus primeras fotografías en serie. Aparece la linotipia. *Más allá del bien y del mal*, de Nietzsche. Westinghouse monta una instalación de corriente alterna.

El concepto del número, de Husserl. Berliner inventa el gramófono. Hertz: ondas hertzianas. Eastman: Kodak.

La filosofía y la escuela, de Angiulli. Marey: cámara cinematográfica con cintas de papel en vez de placas de vidrio. Exposición Universal en Barcelona.

Ensayo sobre los datos inmediatos de la conciencia, de Bergson. Exposición Universal en París. *Principios de Psicología*, de W. James. Branly: cohesor para comprobar las ondas eléctricas.

La acción, de Blondel. Diesel construye su motor. Plancha eléctrica, cocina eléctrica completa.

Filosofía analítica de la historia, de Renouvier. Braum: primer tubo catódico. Olimpiada en Atenas.

El suicidio, de Durkheim. Marconi: radiotelegrafía. Exposición Universal en Bruselas. Lodge: perfecionamiento de su sistema de conexión bobina-condensador, base de la radio. Pierre Curie, Maria Sklodovska y Becquerel: premios Nobel de Física. *El chiste y su relación con lo inconsciente*, de Freud. Elster:

CRONOLOGÍA

		Situación política
		Fundación del Sinn Fein irlandés. Separación de la Iglesia y el Estado en Francia.
1907	Idea un procedimiento para convertir las corientes alternas en continuas.	Muere Nube Roja, jefe de los sioux. Semana trágica: huelga general en Barcelona. Fusilamiento de Ferrer i Guardia.
1909	En verano tiene la ansiada batería a punto.	Se funda en Barcelona la Confederación Nacional del Trabajo (CNT) anarquista.
1910	Obtiene un millón de dólares con la venta de sus baterías recargables.	Asesinato del presidente mexicano Madero. Fin de la segunda guerra balcánica.
1913	El 17 de febrero presenta la proyección de la primera película hablada en el teatro Colonial de Nueva York.	Gavrilo Princip asesina al archiduque Francisco Fernando en Sarajevo. El imperio austrhúngaro declara la guerra a Serbia. Se inicia la primera guerra mundial.
1914	El 9 de diciembre, un incendio destruye el complejo tecnológico de West Orange.	Un subamarino alemán torpedea el trasatlántico Lusitania: mil ciento noventa y ocho desaparecidos.
1915	El 21 de octubre fue declarado como el Día Edison.	El Congreso de Estados Unidos declara la guerra a Alemania. Revolución de febrero en Rusia: Asalto de los guardias rojos al palacio de Invierno. Huelga general revolucionaria en España.
1917	Fabrica una pintura de camuflaje para el buque de guerra Valerie de la Marina de Estados Unidos.	Fundación de los partidos comunistas de Francia, Italia y España. Guerra entre Grecia y Turquía.
1920	Recibe una medalla de honor de la Marina por sus servicios prestados.	Sacco y Vanzetti son ejecutados en la silla eléctrica. Trotsky es expulsado del partido bolchevique.
1927	Inventa un fonógrafo de larga duración: cuarenta minutos en un solo disco. El primer LP de la historia.	Herbert Hoover, elegido presidente de Estados Unidos. Oliveira Salazar, dictador de Portugal. Trostky es deportado a Siberia. Chang Kai-Check, presidente de China unificada.
1928	Se celebran sus 81 años en el hotel Astor de Nueva York sin su presencia: anda trabajando en Florida con unas plantas para producir goma.	Matanza de San Valentín en Chicago. Viernes negro: quiebra la Bolsa de Nueva York. Pactos de Letrán entre Italia y el Vaticano.
1929	Con motivo del cincuenta aniversario de la invenciíon de la lámpara eléctrica, el presidente Coolidge le entrega la Medalla de Oro del Congreso.	Golpe de Estado militar en Brasil: Primera victoria electoral de los nazis en Alemania. Masacres de campesinos en la URSS. Caída de la Dictadura en España.
1930	Su mala salud le impide acudir al laboratorio de West Orange. Debe quedarse en casa bajo vigilancia médica.	Sandino se levanta contra la ocupación estadounidense de Nicaragua.
1931	Muere el 18 de octubre.	Proclamación de la segunda República española.

Arte y Literatura

Picasso: *El guitarrista viejo*.
Matisse: *La alegría de vivir*.

Ojeada a la literatura inglesa, de
M.W Moody.

Picasso: *Arlequín*. Edvard Munch:
Dr. Jakobsen. Enrique Grnados:
Goyescas.
El reclamo del oro, de Jack London.
Stravinski: *El pájaro de fuego*.

Edvard Munch: *Carnicero*.

La metamorfosis, de Kafka.
Manuel de Falla: *El amor brujo*.

Mondrian y Van Doesburg fundan
en Holanda el grupo De Stjil.

Calle principal, de Sinclair Lewis.
Muere Galdós. Le Corbusier funda
la revista de vanguardia *L'Esprit
Nouveau*.
El cantante de jazz, de Crosland:
primera película con sonido
totalmente sincronizado de
Crosland. *Octubre*, filme de
Eisenstein. *El maquinista de la
General*, de Buster Keaton.
Se estrena *La ópera de cuatro
cuartos* de Bertold Brecht con
música de Kurt Weil. Gershwin:
Un americano en París. Ravel:
Bolero.
El lobo estepario, de Herman Hesse.
Adiós a las armas, de Hemingway.
El ruido y la furia, de Faulkner.
Aparece *Tintín*.

Paralelo 42, de John Dos Passos.
La edad de oro, filme de Buñuel.
Sin novedad en el frente, filme de L.
Milestone.
Las olas, de Virginia Wolf.
Santuario. de William Faulkner.
Luces de la ciudad, de Chaplin.
El prófugo, de Cecil B. de Mille.

Ciencia y Pensamiento
primera célula fotoeléctrica.

*Filosofía de la práctica en sus
aspectos económico y ético*, de
Croce. Baekeland: la bakelita, un
aislante en la industria eléctrica.
Ciencia y método, de Poincaré.
Thomson: masa del electrón.

Psicopatología general, de Jaspers.

*Historia del movimiento
psicoanalítico*, de Freud. *La
fotografía de los palimpsestos*,
de Kögel.

Psicología del Estado, de Menzel.

*Sistema de lógica como teoría del
conocimiento*, de Gentile. Wente:
condensador para micrófono.

El concepto de naturaleza, de
Whitehead. Olimpiada en
Amberes.

El ser y el tiempo, de Heidegger.
Fabricación de motores Diesel de
10.000 K W de potencia.

*Las teorías de la inducción y la
experimentación*, de Lalande.
Geiger y Müller: inventan el tubo
contador electrónico de
radioactividad.

Cuadernos filosóficos, de Lenin.
Hans Berger: electroencefalografía.

Marxismo y filosofía, de Korsch.
Tratado sobre la moneda, de
Keynes.

Meditaciones cartesianas, de
Husserl. Fundación de la Sociedad
Internacional de Econometría en
Chicago.

BIBLIOGRAFÍA

La puerta abierta de Edison:
historia de un gran individualista (1938), de Alfred O. Tate.

Menlo Park (1941), de Francis Jehl.

Edison: una biografía (1959), de Matthew Josephson.

Edison: un mito americano (1981), deWyn Wachhorst.

Edison (1986), de Robert Conot.

La luz eléctrica de Edison:
la biografía de una invención (1986), de Robert Friedel y Paul Israel.

OTROS TÍTULOS DE LA COLECCIÓN:

Ludwig van Beethoven

Napoleón Bonaparte

Miguel de Cervantes

Marie Sklodowska Curie

Winston Churchill

Charles Darwin

Albert Einstein

Federico Fellini

Federico García Lorca

Mohandas Karamchad Ghandi

Adolf Hitler

John Fitzgerald Kennedy

Joan Miró

Wolfgang Amadeus Mozart

José Ortega y Gasset

Pablo Picasso

Santiago Ramón y Cajal

Josif Stalin

Vincent Van Gogh